D0717777

Ludwig Bechstein
MÄRCHEN

Ludwig Bechstein

MÄRCHEN

Mit Illustrationen von
Karl Mühlmeister

THIENEMANN

Inhalt

Vom tapfern Schneiderlein

Es war einmal ein Schneiderlein, das saß in einer Stadt, die hieß Romadia; das hatte auf eine Zeit, da es arbeitete, einen Apfel neben sich liegen, darauf setzten sich viele Fliegen, wie das Sommerszeiten so gewöhnlich, die angelockt waren von dem süßen Geruch des Apfels. Darob erzürnte sich das Schneiderlein, nahm einen Tuchlappen, den es eben wollte in die Hölle fallen lassen, schlug auf den Apfel und befand im Hinsehn, daß damit sieben Fliegen erschlagen waren. Ei, dachte bei sich das Schneiderlein, bist du solch ein Held?! Ließ sich stracklich einen blanken Harnisch machen und auf das Brustschild mit goldnen Buchstaben schreiben: Sieben auf einen Streich. Darauf zog das Schneiderlein mit seinem Harnisch angetan umher auf Gassen und Straßen, und die es sahen, vermeinten, der Held habe sieben Männer auf einen Streich gefällt, und fürchteten sich.

Nun war in demselben Lande ein König, dessen Lob weit und breit erschallte, zu dem begab sich der faule Schneider, der gleich nach seiner Heldentat Nadel, Schere und Bügeleisen an den Nagel gehangen, trat in den Hof des Königspalastes, legte sich alldort in das Gras und entschlief. Die Hofdiener, so aus- und eingingen, den Schneider in dem reichen Harnisch sahen und die Goldschrift lasen, verwunderten sich sehr, was doch jetzt, zu Friedenszeiten, dieser streitbare Mann an des Königs Hof tun wolle? Er deuchte sie ohne Zweifel ein großer Herr zu sein.

Des Königs Räte, so den schlafenden Schneider gleichfalls gesehen, taten solches Sr. Majestät, ihrem allergnädigsten König, zu wissen, mit dem untertänigsten Bemerken, daß, so sich kriegerischer Zwiespalt erhebe, dieser Held ein sehr nützlicher Mann werden und dem Lande gute Dienste leisten könne. Dem König gefiel diese Rede wohl, sandte alsbald nach dem geharnischten Schneider und ließ ihn fragen, ob er Dienste begehre? Der Schneider antwortete, ebendeshalb sei er hergekommen und bäte die Königliche Majestät, wo höchstdieselbe ihn zu brauchen gedächte, ihm allergnädigst Dienste zu verleihen. Der König sagte dem Schneiderlein Dienste zu, verordnete ihm ein stattliches Losament und Zimmer und gab ihm eine gute Besoldung, von der es, ohne etwas zu tun, herrlich und in Freuden leben konnte.

Da währete es nicht lange Zeit, so wurden die Ritter des Königs, die nur eine karge Löhnung hatten, dem guten Schneider gram und hätten gern gewollt, daß er beim Teufel wäre, fürchteten zumal, wenn sie mit ihm uneins würden, möchten sie ihm nicht sattsam Widerstand leisten, da er ihrer sieben allwege auf einen Streich totschlagen würde, sonsten hätten sie ihn gern ausgebissen, und so sannen sie täglich und stündlich darauf, wie sie doch von dem freislichen Kriegsmann kommen möchten. Da aber ihr Witz und Scharfsinn etwas kurz zugeschnitten war, wie ihre Röcklein, so fanden sie keine List, den Helden vom Hofe zu entfernen, und zuletzt wurden sie Rates miteinander, alle zugleich vor den König zu treten und um Urlaub und Entlassung zu bitten, und das taten sie auch.

Als der gute König sahe, daß alle seine treuen Diener um eines einzigen Mannes willen ihn verlassen wollten, ward er traurig wie

nie zuvor und wünschte, daß er den Helden doch nie möge
gesehen haben; scheute sich aber doch, ihn hinwegzuschicken,
weil er fürchten mußte, daß er samt all seinem Volk von ihm
möchte erschlagen und hernach sein Königreich von dem strackli-
chen Krieger möchte besessen werden. Da nun der König in dieser
schweren Sache Rat suchte, was doch zu tun sein möge, um alles
gütlich abzutun und zum besten zu lenken, so ersann er letztlich
eine List, mit welcher er vermeinte, des Kriegsmannes (den
niemand für einen Schneider schätzte) ledig zu werden und
abzukommen. Er sandte sogleich nach dem Helden und sprach zu
ihm, wie er (der König) wohl vernommen, daß ein gewaltigerer
und stärkerer Kampfheld auf Erden nimmer zu finden sei, denn er
(der Schneider). Nun hauseten im nahen Walde zwei Riesen, die
täten ihm aus der Maßen großen Schaden mit Rauben, Morden,
Sengen und Brennen im Lande umher, und man könne ihnen
weder mit Waffen noch sonst wie beikommen, denn sie erschlü-
gen alles, und so er sich's nun unterfangen wolle, die Riesen
umzubringen und brächte sie wirklich um, so solle er des Königs
Tochter zur ehelichen Gemahlin und das halbe Königreich zur
Aussteuer erhalten, auch wolle der König ihm hundert Reiter zur
Hilfe gegen die Riesen mitgeben.

Auf diese Rede des Königs ward dem Schneiderlein ganz wohl
zumute und deuchte ihm schön, daß es sollte eines Königs
Tochtermann werden und ein halbes Königreich zur Aussteuer
empfangen; sprach daher kecklich: er wolle gern dem König,
seinem allergnädigsten Herrn, zu Diensten stehen und die Riesen
umbringen und sie wohl ohne Hilfe der hundert Reiter zu töten
wissen. Darauf verfügte er sich in den Wald, hieß die hundert
Reiter, die ihm auf des Königs Befehl dennoch folgen mußten, vor
dem Walde warten, trat in das Dickicht und lugte umher, ob er die
Riesen irgendwo sehen möchte. Und endlich nach langem Suchen
fand er sie beide unter einem Baume schlafend und also schnar-
chend, daß die Äste an den Bäumen, wie vom Sturmwind gebo-
gen, hin- und herrauschten.

Der Schneider besann sich nicht lange, las schnell seinen Busen voll Steine, stieg auf den Baum, darunter die Riesen lagen, und begann den einen mit einem derben Steine auf die Brust zu werfen, davon der Riese alsbald erwachte, über seinen Mitgesellen zornig ward und fragte, warum er ihn schlüge? Der andere Riese entschuldigte sich bestens, so gut er's vermochte, daß er mit Wissen nicht geschlagen, es müsse denn im Schlafe geschehen sein; da sie nun wieder entschliefen, faßte der Schneider wieder einen Stein und warf den andern Riesen, der nun auffahrend über seinen Kameraden sich erzürnte und fragte, warum er ihn werfe? Der aber nun auch nichts davon wissen wollte. Als beiden Riesen nun die Augen nach einigem Zanken vom Schlafe wieder zugegangen waren, warf der Schneider abermals gar heftig auf den andern, daß er es nun nicht länger ertragen mochte, und auf seinen Gesellen, von dem er sich geschlagen vermeinte, heftig losschlug; das wollte denn der andere Riese auch nicht leiden, sprangen beide auf, rissen Bäume aus der Erde, ließen aber doch zu allem Glück den Baum stehen, darauf der Schneider saß, und schlugen mit den Bäumen so heftig aufeinander los, bis sie einander gegenseitig totschlugen.

Als der Schneider von seinem Baume sahe, daß die beiden Riesen einander totgeschlagen hatten, ward ihm besser zumute, als ihm jemals gewesen, stieg fröhlich vom Baume, hieb mit seinem Schwerte jeglichem Riesen eine Wunde oder etliche und ging aus dem Walde hervor zu den Reitern. Die fragten ihn, ob er die Riesen entdeckt oder ob er sie nirgends gesehen habe? »Ja«, sagte der Schneider, »entdeckt und gesehen und alle zwei totgeschlagen – habe ich und sie liegen lassen unter einem Baume.« Das war den Reitern verwunderlich zu hören, konnten und wollten's nicht glauben, daß der eine Mann so unverletzt von den Riesen sollte gekommen sein und sie noch dazu totgeschlagen haben, ritten nun selbst in den Wald, dies Wunder zu beschauen und fanden es also, wie der Schneiderheld gesagt hatte. Darob verwunderten sich die Reiter gar sehr und empfanden einen grauslichen Schrecken, ward ihnen auch noch übler zumute denn vorher, da sie fürchteten, der Sieger werde sie alle umbringen, wenn er ihnen feind würde; ritten heim und sagten dem König an, was geschehen.

Da nun der Schneider zum Könige kam, seine Tat selbst anzeigte und die Königstochter samt dem halben Königreich begehrte, gereute den König sein Versprechen, das er dem unbekannten Kriegsmann gegeben, gar übel, denn die Riesen waren nun erwürgt und konnten keinen Schaden mehr tun; dachte darüber nach, wie er des Helden mit Fug abkommen möchte, und war nicht im mindesten gesonnen, ihm die Tochter zu geben. Sprach daher zum Schneider, wie er in einem andern Walde leider noch ein Einhorn habe, das ihm sehr großen Schaden tue an Fischen und Leuten; dasselbe solle er doch auch noch fangen, und so er dieses vollbringe, wolle der König ihm die Tochter geben. Der gute Schneider war auch das zufrieden, nahm einen Strick, ging hin zu jenem Walde, allwo das wilde Einhorn hauste, und befahl seinen Zugeordneten, draußen vor dem Walde zu warten, er wolle allein hineingehen und allein die Tat bestehen, wie er die gegen die zwei Riesen auch allein und ohne andere Hilfe bestanden. Als der Schneider eine Weile im Walde umherspaziert war, ersieht er das Einhorn, das gegen ihn daherrennt mit vorgestrecktem Horn und will ihn umbringen. Er aber war nicht unbehende, wartete, bis das Einhorn gar nahe an ihn herankam, und als es nahe bei ihm war, schlüpfte er rasch hinter den Baum, neben dem er zu allernächst stand, und da lief das Einhorn, das im vollen Rennen war und sich nicht mehr wenden konnte, mit aller Hast gegen den Baum, daß es ihn mit seinem spitzen Horn fast durch und durch stieß und das Horn unverwandt darin stecken blieb. Da trat der Schneider, als er das Einhorn am Baume fest zappeln sah, hervor, schlang ihm den mitgenommenen Strick um den Hals, band es an den Baum vollends fest, ging heraus zu seinen Jagdgesellen und zeigte ihnen seinen Sieg über das wilde Einhorn an. Darauf ging das Schneiderlein zum König, tät demütiglich Meldung von der glücklichen Erfüllung des königlichen Wun-

11

sches und erinnerte bescheidentlich an das königliche zweimalige Versprechen. Darob ward der König über die Maßen traurig, wußte nicht, was zu tun sei, da der Schneider die Tochter begehrte, die er doch nicht haben sollte. Und begehrte noch eins an den Kriegsmann. Dieser solle nämlich auch das grausame Wildschwein, das in einem dritten Walde liefe und alles verwüste, einfangen, und so er auch dieses vollbringe, dann wolle der König ihm die Tochter ohne allen Verzug geben, wolle ihm auch seine ganze Jägerei zur Hilfe beiordnen.

Der Schneider zog, nicht sonderlich erbaut von des Königs abermaligem Begehren, mit seinen Gesellen zum Walde hinaus und befahl ihnen, als der Forst erreicht war, draußen zu bleiben. Des waren die Jäger gar herzlich froh und zufrieden, denn das Wildschwein hatte sie schon öfter dermaßen empfangen, daß ihrer viele das Wiederkommen auf immer vergessen hatten, und sie alle nicht mehr begehrten, ihm nachzustellen, dankten daher dem Schneider sehr aufrichtig, daß er sich allein in die Fahrnis wage und sie in Nummero Sicher dahinten lasse. Der Schneider war noch nicht lange in den Wald getreten, so wurde das Wildschwein seiner ansichtig und stürzte auf ihn zu mit schäumendem Rachen und wetzenden Hauern und wollte ihn gleich zu Boden rennen, so daß sein Herz erzitterte und er sich schnell nach Rettung umsah. Da stand zum Glück eine alte verfallene Kapelle in dem Wald, darin man vor Zeiten Ablaß geholt, und da der Schneider nahe dabei stand und die Kapelle ersah, sprang er mit einem Satz hinein, aber auch der Türe gegenüber mit einem Luftsprung durch ein Fenster, darin keine Scheiben mehr waren, wieder heraus, und alsbald folgte ihm die Wildsau, die nun in der Kapelle rumorte, der Schneider aber lief flugs um das Häuslein herum, witschte vor an die Türe, warf sie eilends zu und versperrte so das grausame Gewild in das Kirchlein, ging dann hin zu den Jagdgesellen, zeigte ihnen seine Tat an, die kamen hin, befanden die Sache also wahr und richtig und ritten heim mit großer Verwunderung, dem König Bericht erstattend. Ob nun die Nach-

richt vom abermaligen glückhaften Sieg des heldenhaften Kriegsmannes den König mehr froh oder mehr traurig gemacht, das mag
ein jeglicher, selbst mit geringem Verstand, leichtlich ermessen,
denn der König mußte nun dem Schneider die Tochter geben oder
fürchten, daß dieser seine Heldenkraft, davon er drei so erstaunliche Proben gegeben, gegen ihn selber wenden dürfte. Doch ist
wohl zweifelsohne, hätte der König vollends gewußt, daß der Held
ein Schneider wäre, so hätte er ihm lieber einen Strick zum
Aufhenken, denn seine Tochter geschenkt. Ob nun aber der König
einem Manne ohne Herkunft und ohne Geburt, außer der von
seiner Mutter, seine Tochter mit kleiner oder mit großer Bekümmernis, gern oder ungern gebe, danach fragte Schneiderlein gar
wenig oder gar nicht, genug, er war stolz und froh, des Königs
Tochtermann geworden zu sein. Also wurde die Hochzeit nicht
mit allzu großer Freudigkeit von königlicher Seite begangen, und
aus einem Schneider war ein Königseidam geworden, ja ein König.

Als eine kleine Zeit vergangen war, hörte die junge Königin, wie
ihr Herr und Gemahl im Schlafe redete, und vernahm deutlich die
Worte: »Knecht, mache mir das Wams – flicke mir die Hosen –
spute dich – oder ich – schlage dir das Ellenmaß über die Ohren!«
Das kam der jungen Königsgemahlin sehr verwunderlich vor,
merkte schier, daß ihr Gemahl ein Schneider sei, zeigte das ihrem
Herrn und Vater an und bat ihn, er möge ihr doch von diesem
Manne helfen. Solche Rede durchschnitt des Königs Herz, daß er
habe seine einzige Tochter einem Schneider antrauen müssen,
tröstete sie auf das beste und sagte, sie solle nur in der künftigen
Nacht die Schlafkammer öffnen, so sollten vor der Türe etliche
Diener stehen, und wenn sie wieder solche Worte vernehmen,
sollten diese Diener hineingehen und den Mann geradezu
umbringen. Das ließ sich die junge Frau gefallen und verhieß also
zu tun. Nun hatte der König aber einen Waffenträger am Hofe, der
war dem Schneider hold und hatte des Königs untreue Rede
gehört, verfügte sich daher eilend zu dem jungen König und
eröffnete ihm das schwere Urteil, das über ihn soeben jetzt

13

ergangen und gefällt war und bat ihn, er möge seines Leibes sich nach besten Kräften wehren. Dem sagte der Schneider-König ob seines Warnens großen Dank, und er wisse wohl, was in dieser Sache zu tun sei. Wie nun die Nacht gekommen war, begab sich zu gewohnter Zeit der junge König mit seiner Gemahlin zur Ruhe und tat bald, als ob er schliefe. Da stand die Frau heimlich auf und öffnete die Tür, worauf sie sich wieder ganz still niederlegte. Nach einer Weile begann der junge König wie im Schlafe zu reden, aber mit heller Stimme, daß die draußen vor der Kammer es wohl hören konnten: »Knecht, mache mir die Hosen – bletze mir – das Wams, oder ich will dir das Ellenmaß über die Ohren schlagen. Ich – hab' Sieben auf einen Streich totgeschlagen – zwei Riesen hab' ich – totgeschlagen – das Einhorn hab' ich gefangen – die Wildsau hab' ich auch gefangen – sollt' ich die fürchten – die draußen vor der Kammer stehen?«

Als die vor der Kammer solche Worte vernahmen, so flohen sie nicht anders, als jagten sie tausend Teufel, und keiner wollte der sein, der sich an den Schneider wagte. Und so war und blieb das tapfere Schneiderlein ein König all sein Lebtag und bis an sein Ende.

Vom Schwaben, der das Leberlein gefressen

ls unser lieber Herr und Heiland noch auf Erden wandelte, von einer Stadt zur andern, das Evangelium predigte und viele Zeichen tat, kam zu ihm auf eine Zeit ein guter einfältiger Schwab und fragte ihn: »Mein Leiden-Gesell, wo willst du hin?« Da antwortete ihm unser Herrgott: »Ich ziehe um und mache die Leute selig.« So sagte der Schwab: »Willst du mich mit dir lassen?« – »Ja«, antwortete unser Herrgott, »wenn du fromm sein willst und weidlich beten.« Da sagte der Schwab zu. Als sie nun miteinander gingen, kamen sie zwischen zwei Dörfer, darinnen läutete man. Der Schwab, der gern schwätzte, fragte unsern Herrgott: »Mein Leiden-Gesell, was läutet man da?« Unser Heiland, dem alle Dinge wissend waren, antwortete: »In dem einen Dorfe läutet man zu einer Hochzeit, in dem andern zum Begängnis eines Toten.« – »Gang du zum Toten!« sprach der Schwab, »so will ich zur Hochzeit gehn.«

Darauf ging unser Herrgott in das Dorf und machte den Toten wieder lebendig, da schenkte man ihm hundert Gulden. Der Schwab tät sich auf der Hochzeit um, half einschänken, einem Gast um den andern und auch sich selbst, und als die Hochzeit zu Ende war, da schenkte man ihm einen Kreuzer. Das war der Schwab wohl zufrieden, machte sich auf den Weg und kam wieder zu unserm Herrgott. Alsbald, wie der Schwab diesen von weitem sahe, hub er sein Kreuzerlein in die Höhe und schrie: »Lug, mein Leiden-Gesell! Ich hab' Geld; was hast denn du?« trieb also viel Prahlens mit seinem Kreuzerlein. Unser Herrgott lachet seiner und sprach: »Ach, ich hab' wohl mehr als du!« tät den Sack auf und ließ den Schwaben die hundert Gulden sehen. Der aber war nicht unbehend, warf geschwind sein armes Kreuzerlein unter die

15

hundert Gulden und rief: »Gemein, gemein! Wir wollen alles gemein miteinander haben!« Das ließ unser Herrgott gut sein.

Nun als sie weiter miteinander gingen, begab es sich, daß sie zu einer Herde Schafe kamen, da sagte unser Herrgott zum Schwaben: »Gehe, Schwab, zu dem Hirten, heiße ihm uns ein Lämmlein zu geben, und koche uns das Gehänge oder Geräusch zu einem Mahle.« – »Ja!« sagte der Schwab, tat, wie ihm der Herr geheißen, ging zum Hirten, ließ sich ein Lämmlein geben, zog's ab und bereitete das Gehänge zum Essen. Und im Sieden da schwamm das Leberlein stets empor; der Schwab drückt's mit dem Löffel unter, aber es wollte nicht unten bleiben, das verdroß den Schwaben über alle Maßen. Nahm deshalb ein Messer, schnitt das Leberlein, dieweil es gar war, voneinander und aß es. Und als nun das Essen auf den Tisch kam, da fragte unser Herrgott, wo denn das Leberlein hingekommen wär? Der Schwab aber war gleich mit der Antwort bei der Hand, das Lämmlein habe keines gehabt. »Ei!« sagte unser Herrgott: »Wie wollte es denn gelebt haben ohne ein Leberlein?« Da verschwur sich der Schwab hoch und teuer: »Es hat bei Gott und allen Gottes-Heiligen keines gehabt!« Was wollte unser Herrgott tun? Wollte er haben, daß der Schwab stillschwieg, mußt' er wohl zufrieden sein.

Nun begab es sich, daß sie wiederum miteinander spazierten, und da läutete es abermals in zwei Dörfern. Der Schwab fragte: »Lieber, was läutet man da?« – »In dem einen Dorf läutet man zu einem Toten, in dem andern zur Hochzeit«, sagte unser Herrgott. »Wohl!« sprach der Schwab. »Jetzt gang du zur Hochzeit, so will ich zum Toten!« (vermeinte, er wolle auch hundert Gulden verdienen). Fragte den Herrn weiter: »Lieber, wie hast du getan, daß du den Toten auferwecket hast?« – »Ja«, antwortete der Herr, »ich sprach zu ihm, steh auf im Namen des Vaters, Sohnes und heiligen Geistes! Da stand er auf.« – »Schon gut, schon gut!« rief der Schwab: »nun weiß ich's wohl zu tun!« und zog zum Dorfe, wo man ihm den Toten entgegentrug. Als der Schwab das sahe, rief er mit heller Stimme: »Halt da! Halt da! Ich will ihn lebendig

16

Vom tapfern Schneiderlein, zu Seite 11

machen, und wenn ich ihn nit lebendig mache, so henkt mich ohne Urteil und Recht.«

Die guten Leute waren froh, verhießen dem Schwaben hundert Gulden und setzten die Bahre, darauf der Tote lag, nieder. Der Schwab tät den Sarg auf und fing an zu sprechen: »Steh auf im Namen der heiligen Dreifaltigkeit!« Der Tote aber wollte nicht aufstehen. Dem Schwaben ward angst, er sprach einen Segen zum andern und zum drittenmal, als aber jener Tote sich nicht erhob, so rief er voll Zorn: »Ei so bleib liegen in tausend Teufel Namen!« Als die Leute diese gottlose Rede hörten und sahen, daß sie von dem Gecken betrogen waren, ließen sie den Sarg stehen, faßten den Schwaben und eileten demnächst mit ihm dem Galgen zu, warfen die Leiter an und führten den Schwaben hinauf. Unser

Herrgott zog fein gemachsam seine Straße heran, da er wohl wußte, wie es dem Schwaben ergehen werde, wollte doch sehen, wie er sich stellen würde, kam nun zum Gericht und rief: »O guter Gesell, was hast du doch getan? In welcher Gestalt erblick ich dich?« Der Schwab war blitzwild und begann zu schelten, der Herr hätte ihm den Segen nicht recht gelehrt. »Ich habe dich recht belehrt«, sprach der Herr. »Du aber hast es nicht recht gelernt und getan, doch dem sei, wie ihm wolle. Willst du mir sagen, wo das Leberlein hinkommen ist, so will ich dich erledigen!« – »Ach!« sagte der Schwab, »das Lämmlein hat wahrlich kein Leberlein gehabt! Wes zeihest du mich?« – »Ei du willst's nur nicht sagen!« sprach der Herr. »Wohlan, bekenn' es, so will ich den Toten lebendig machen!« Der Schwab aber fing an zu schreien: »Henket mich, henket mich! So komm' ich der Marter ab. Der will mich zwingen mit dem Leberlein und hört doch wohl, daß das Lämmlein kein Leberlein gehabt hat! Henket mich nur stracks und flugs!«

Wie solches unser Herrgott hörte, daß sich der Schwab eher wollt henken lassen, als die Wahrheit gestehen, befahl er, ihn herabzulassen, und machte nun selbst den Toten lebendig.

Als sie nun miteinander wieder von dannen zogen, sprach unser Herrgott zum Schwaben: »Komm her, wir wollen miteinander das gewonnene Geld teilen und dann voneinander scheiden, denn wenn ich dich allewege und überall sollte vom Galgen erledigen, würde mir das zuviel.« Nahm also die zweihundert Gulden und teilte sie in drei Teile. Als solches der Schwabe sahe, fragte er: »Ei Lieber, warum machst du drei Teile, so doch unsrer nur zween sind?« – »Ja«, antwortete unser lieber Herrgott, »der eine Teil, der ist mein; der andere Teil, der ist dein, und der dritte Teil, der ist dessen, der das Leberlein gefressen hat!« Als der Schwab solches hörte, rief er fröhlich aus: »So hab' ich's bei Gott und allen lieben Gottes-Heiligen doch gefressen!« Sprach's und strich auch den dritten Teil ein, und nahm Urlaub von unserm lieben Herrgott.

Die Probestücke des Meister-Diebes

 s wohnten in einem Dorfe ein paar sehr arme alte Leute mutterseelenallein in einem geringen Häuslein, das ganz weit draußen stand, und hörte gerade mit diesem Häuslein das Dorf auf. Die beiden Alten waren brav und fleißig, aber sie hatten keine Kinder. Einen Sohn, einen einzigen, hatten sie gehabt, aber der war ein ungeratener Bube gewesen und heimlich auf und davon gegangen, hatte auch sein Lebtag nichts wieder von sich hören und sehen lassen, und so glaubten die beiden Alten, ihr Einziger sei lange tot und bei Gott gut aufgehoben.

Nun saßen einstmals die beiden Alten vor ihrer Haustür an einem Feiertage, da fuhr zum Dorfe herein ein stattlicher Wagen, den zogen sechs schöne Rosse, und darin saß ein einzelner Herr, hintenauf stand ein Bedienter, dessen Hut und Rock von Gold und Silber nur so starrte. Der Wagen fuhr durch das ganze Dorf, und die Bäuerlein, die gerade aus der Kirche kamen, meinten schier, es fahre ein Herzog oder gar ein König vorbei, denn solche Pracht konnte der Edelmann, der droben im alten Schloß wohnte, nicht aufwenden.

Da hielt mit einem Male der Wagen vor dem letzten Häuslein still, der Bediente sprang vom Bocke und öffnete dem darin sitzenden Herrn den Schlag, welcher ausstieg und auf die beiden Alten zueilte, die sich ganz bestürzt von ihrer Bank erhoben hatten. Er bot ihnen freundlich guten Tag und Handschlag und fragte, ob er nicht ein Gericht Kartoffelhütes (Klöße) mit ihnen essen könne? Darüber verwunderte sich am meisten das Mütterlein, aber der junge, hübsche und sehr vornehm gekleidete Herr stillte alsbald ihr Staunen, indem er sagte, daß ihm noch kein Koch diese Hütes habe recht machen können, er wolle sie einmal von Landleuten zubereitet essen, wie in seiner Jugend. Da luden die Alten den edlen Junker, für den sie den Fremdling hielten,

19

freundlich in ihre Hütte, und er ließ den Wagen mit Kutscher und Bedienten einstweilen in das Wirtshaus fahren. Das Mütterlein holte eilends Kartoffeln aus dem kleinen Keller des Häusleins herauf, schälte, rieb und preßte sie, ließ Wasser sieden, tat die geballten Klöße, zu denen sie etwas Schmalz getan, hinein, und segnete dieses Essen mit dem frommen Spruch: »Gott behüt es«, davon denn auch die Klöße an vielen Orten Südthüringens Hütes heißen.

In dieser Zeit, daß die Alte ihr Mahl bereitete, war ihr Mann mit dem Fremdling in das Hausgärtchen gegangen, wo er an kurz zuvor gepflanzten jungen Bäumen sich eine kleine Beschäftigung machte und nachsah, ob die Pfähle, an welche die Stämmchen mit Weide gebunden waren, noch fest hielten, und der Wind keine Weide losgerissen hatte, und wo dies geschehen war, da band der Alte jedes Stämmchen wieder fest.

Da hub der junge Fremde an zu fragen: »Warum bindet Ihr dieses kleine Stämmchen dreimal an?« – »Ja!« sprach der Alte, »da hat es drei Krümmen, darum bind' ich's fest, daß es gerade wächst.« – »Das ist recht, Alter!« sprach der Fremde; »aber dort habt Ihr ja einen alten krummen Knorz von Baum! Warum bindet Ihr den nicht auch an einen Pfahl auf, daß er gerade wird?« – »Hoho!« lachte der Alte: »alte Bäume, wenn sie krumm sind, werden nicht wieder gerad. Wenn man sie gerade haben will, muß man sie jung gut ziehen.« – »Habt Ihr auch Kinder?« fragte der Fremde weiter. »O lieber Gott, Euer Gnaden!« antwortete der Mann, »gehabt hab ich einen Jungen, war ein erzer Nichtsnutzer, hat wilde böse Streiche gemacht und ist mir zuletzt davongelaufen und sein Lebtag nicht wiedergekommen. Wer weiß, wo ihn der liebe Gott hingeführt hat, oder der Böse.« – »Warum habt Ihr denn Euern Sohn nicht beizeiten gerad gezogen, wie diese da, Eure Bäumchen!« sprach betrübt und vorwurfsvoll der Fremde. »Wenn er nun ein ungeratener krummer Knorz und Wildling worden, so ist's Eure Schuld. Aber wenn er Euch nun wieder unter die Augen käme, würdet Ihr ihn wohl erkennen?« – »Weiß auch nicht, lieber Herr!« erwiderte der Bauer, »er wird wohl in die Höhe geschossen

20

sein, wenn er noch lebt, doch hatte er ein Muttermal am Leibe, daran allenfalls könnt' ich ihn kennen. Der kommt aber doch erst am Nimmermehrstag wieder heim.« Da zog der Fremde seinen Rock aus und zeigte dem Alten ein Muttermal; der schlug die Hände überm Kopf zusammen und schrie: »Herr Jes's! Du bist mein Sohn – aber nein – du bist so schrecklich fürnehm. Bist du denn ein Graf geworden, oder gar ein Herzog?« – »Das nicht, Vater«, sprach der Sohn leise, »aber etwas anders, ein Spitzbub bin ich geworden, weil Ihr mich nicht gerade gezogen habt, doch laßt's gut sein, ich hab' meine Kunst tüchtig studiert, bin nicht etwa so ein miserabler Pfuscher, wie's ihrer viele gibt.«

Der alte Mann war ganz stumm vor Schreck und vor Freude, führte den Sohn an der Hand ins Haus, und zur Mutter, die justement die Klöße fertig hatte und auftrug, und sagte ihr alles. Da fiel das Mütterlein ihrem Sohn an das Herz und um den Hals, küßte ihn und weinte und sagte: »Dieb hin, Dieb her! Du bist doch mein lieber Sohn, den ich unterm Herzen getragen habe, und mir hüpft das Herz hoch in der Brust, daß ich dich in meinen alten Tagen wieder gesehen! Ach, was wird dein Herr Pate sagen, droben auf dem Schloß, der Edelmann!« – »Ja!« sprach dazwischen der Vater, während alle drei nun miteinander tapfer in die Klöße einhieben: »Dein Herr Pate wird nichts von dir wissen wollen, bei so bewandten Umständen, wie es mit dir steht; er wird dich am Ende an dem lichten Galgen zappeln lassen.« – »Nun, besuchen will ich ihn doch, den Herrn Paten!« antwortete der Sohn, ließ seinen Wagen anspannen und fuhr aufs Schloß hinauf.

Der Edelmann war sehr erfreut, seinen Paten, den er als armes Kind aus Gnaden zur Taufe gehoben, so stattlich wieder vor sich treten zu sehen, als dieser sich ihm zu erkennen gab. Aber darüber freute er sich nicht im mindesten, als auf Befragen, was er denn in der Welt geworden sei, der junge Pate zur Antwort gab, er wäre ein ausgelernter Spitzbube geworden. Sann also bald darüber nach, wie er mit guter Art einen so gefährlichen Menschen in Zeiten los werden möchte.

»Wohlan!« sprach der Edelmann zu seinem Paten, »wir wollen sehen, ob du das Deinige ordentlich gelernt hast und ein so großer Dieb geworden bist, den man mit Ehren laufen lassen kann, oder nur so ein kleiner, den man an den ersten besten Galgen henkt. Letzteres werde ich in meinem Gerichtsbann mit dir unfehlbar tun, wenn du nicht die drei Proben bestehst, die ich dir auferlegen werde!« – »Nur her damit, gestrenger Herr Pate! Ich fürchte mich vor keiner Arbeit.«

Der Edelmann sann eine kleine Weile nach, dann sprach er: »Hör’ an! Dieses sind die drei Proben. Zum ersten: stiehl mir mein Leibpferd aus dem Stalle, den ich wohl bewachen lasse von Soldaten und Stalleuten, die jeden totschlagen, der Miene macht, in den Stall zu dringen. Zum andern stiehl mir, wenn ich mit meiner Frau im Bette liege, das Bett-Tuch unterm Leibe weg, und meiner Frau den Trauring vom Finger, doch wisse, daß ich geladene Pistolen zur Hand habe. Zum dritten und letzten, – und merke, das ist das schwerste Stück: stiehl mir Pfarrer und Schulmeister aus der Kirche und hänge sie beide lebend in einem Sack in meinen Schornstein. Tor und Türen im Schlosse sollen dir dazu offen stehen.«

Der Meisterdieb bedankte sich freundlich bei seinem Herrn Paten, daß er ihm so leichte Stücklein aufgegeben, und ging seiner Wege, um in nächster Nacht gleich das erste Stück auszuführen. Der Edelmann traf alle Anstalten, sein Leibroß gut bewachen zu lassen. Sein erster Reitknecht mußte sich darauf setzen, ein anderer Diener mußte den Zaum fassen, ein dritter den Schwanz, und vor die Türe ordnete der Herr eine Soldatenwache. Die wachten und wachten, froren und fluchten, denn es war kalt, und alle waren durstig; da zeigte sich ein altes müdes Mütterlein, das trug ein Fäßlein auf einem Korbe, hüstelte schwer und keuchte zum Schloßhof hinein. Das Fäßlein weckte in der Seele der Soldaten ganz besonders anziehende Gedanken, nämlich die, daß möglicherweise Branntwein darin sein könne, und daß Branntwein ein Spezifikum gegen den Nachtfrost sei und gegen die bösen Nebel. Riefen daher das alte Mütterlein zum Feuer, daß sich's wärme und forschten nach dem Inhalt des Fäßleins. Richtig geahnet! Branntwein war darin, und noch dazu veredelter, Doppelpomeranzen, Spanischbitter oder so eine Art. Auch war das Fäßlein nicht tückischerweise verpicht und verspundet, sondern es war ein Hähnlein daran, und die Frau hatte, das war das beste, den Branntwein zu verkaufen. Da kauften die Soldaten ein Becherlein ums andere, riefen's auch den Wächtern im Stalle zu, daß draußen im Hofe der Weizen blühe, und das alte Frauchen hatte alle Hände voll zu tun mit Einschänken, so daß ihr Fäßlein schier leer war. Die alte Frau war aber kein anderer Mensch als der Erzdieb, der sich gut verkleidet und in den Schnaps einen barbarischen Schlaftrunk gemischt hatte.

Es währte gar nicht lange, so fiel ein Soldat nach dem andern in Schlaf, und den Wächtern im Stalle fielen auch die Augen zu, und es war gut, daß der Dieb schon im Stalle bei dem Pferde stand, so konnte er den Reitknecht in seinen Armen auffangen, als dieser gerade vom Pferde fiel, und ihn sanft rittlings auf die Schranke setzen und was weniges anbinden, damit der gute Mensch nicht etwa auch da herunterfalle und Schaden leide. Dem Leibkutscher, der den Zaum hielt und in der Ecke schnarchte, lieh der Dieb einen Strick in die Hand, und dem Stallknecht statt des Roßschweifes ein Strohseil. Dann nahm er eine Pferdedecke, schnitt sie in Stücke, wickelte sie um des Rosses Füße, schwang sich in den Sattel, und heidi, hast du nicht gesehen – zum Stall und zum offen gebliebenen Schloßtor hinaus.

Als es heller Tag geworden, sah der Edelmann zum Fenster hinaus und sah einen stattlichen Reiter dahergaloppiert kommen auf einem nicht minder stattlichen Roß, das ihm so bekannt vorkam. Der Reiter hielt an und bot guten Morgen hinauf zum Schloßfenster. »Guten Morgen, Herr Pate! Euer Pferd ist Goldes wert!« – »Ei daß dich alle Teufel!« rief der Edelmann, wie er sah, daß das Pferd seine Schecke war. »Du bist ein Gaudieb! Nu, nu – nur zu! Laß deine Kunst weiter sehen!« Der Edelmann nahm seine

Reitpeitsche und ging nach dem Stalle voller Zorn; als er aber die wunderlichen Gruppen der noch immer schlafenden Wächter sah, mußte er laut auflachen; gedachte aber bald in seinem Herzen: wenn der Gauner diese Nacht kommt, mir das Bett-Tuch zu stehlen, will ich ihm eine Kugel durch den Kopf schießen, denn solch einen gefährlichen Kerl möchte ich nicht in meiner Nähe wissen.

Da nun die Nacht herbeigekommen war, legte sich der Edelmann mit seiner Frau zu Bette, und neben sich legte er eine geladene Pistole und unterschiedliche andere Wehr und Waffen, schlief auch nicht ein, sondern blieb wachsam, horchte und lauschte, ob sich nichts regte.

Lange blieb alles still, jetzt endlich, es war schon ziemlich dunkel, war es, als würde eine lange Leiter angelehnt, und bald darauf wurde draußen am Fenster die Gestalt eines Menschen sichtbar, der hereinsteigen wollte. »Erschrick nicht, Frau!« rief leise der Edelmann, nahm die Pistole, zielte gut, drückte los und schoß den Räuber mitten durch den Kopf, dieser wankte, und gleich darauf hörte man unten einen schweren Fall. »Der steht nicht wieder auf«, sprach der Edelmann, »doch möcht' ich Aufsehen vermeiden, ich will deshalb geschwind die Leiter hinuntersteigen, daß im Hause kein Lärm wird, und den Erschossenen beiseite schaffen.« Das war der Edelfrau recht, und ihr Mann tat, wie er gesagt. Bald darauf kam er wieder herauf und sprach zur Frau: »Der ist mausetot, ich will dem armen Teufel aber doch, ehe ich ihn in die Grube werfe, in einen Leinlaken hüllen, und da er um deines Ringes willen sein Leben hat lassen müssen, so wollen wir ihm diesen anstecken; gib mir den Ring und auch das Bett-Tuch.« Die Frau gab beides her, und jener stieg eilend wieder hinunter.

Es war aber nicht der Edelmann, sondern der Meister-Dieb, der, um sein Stücklein auszuführen, vom ersten besten Galgen (damals gab es in Deutschland noch alle Wege viele Galgen) einen frisch Gehenkten abgeschnitten und ihn dann auf seine Schultern geladen hatte, als er die Leiter emporstieg. Wie drinnen der Schuß fiel, ließ er den Leichnam hinunterstürzen, stieg eilend die Leiter herab und versteckte sich. Und wie nun der Edelmann herunterkam und sich mit dem vermeintlich Erschossenen zu schaffen machte, wischte er rasch hinauf ins Zimmer der Frau, ahmte des Paten Stimme nach und forderte Ring und Bett-Tuch.

Am andern Morgen sah der Edelmann wieder nach seiner Gewohnheit zum Fenster hinaus, da ging drunten ein Mann auf und ab, der hatte, wie es schien, Leinwand zu verkaufen, mindestens trug er ein zusammengeschlagenes Bündel über der Schulter, und ließ einen schönen Ring in der Morgensonne blitzen und funkeln. Mit einem Male rief der Mann hinauf: »Schönsten guten Morgen, Herr Pate! Ich wünsche Ihnen und der Frau Patin recht wohl geruht zu haben!«

Der Edelmann war wie vom Donner gerührt, als er seinen Paten, den er die vorige Nacht mit eigner Hand erschossen und mit derselben Hand in eine Grube geworfen, leibhaftig stehen sah, und fragte hastig seine Frau nach Ring und Tuch. »Nun, du hast mir's ja diese Nacht abverlangt!« erwiderte die Dame. »Der Satan! Aber ich nicht!« tobte der Edelmann – doch gab er sich bald wieder, in Erwägung, daß der kühne Dieb noch mehr hätte nehmen können. Er machte dem Paten eine Faust zum Fenster hinaus und rief: »Erzgauner! Das Dritte! Das Dritte bringt dich sicherlich an den Galgen!«

In der nächsten Nacht darauf begab sich etwas Seltsames auf dem Gottesacker. Der Schulmeister, der diesem zunächst wohnte, wurde es zuerst gewahr, und meldete es dem Herrn Pfarrer. Über den Gräbern wandelten kleine brennende Lichtlein in unsteter Bewegung umher. »Das sind die armen Seelen, Schulmeister!« flüsterte der Pfarrer mit Grausen. Plötzlich erschien eine große schwarze Gestalt auf den Stufen zur Kirche, die rief mit hohlem Tone:

Kommt all' zu mir, kommt all' zu mir,
Der jüngste Tag ist vor der Tür!
O Menschenkinder, betet still!
Die Toten sammeln schon ihr Gebein!
Wer mit mir in den Himmel will,
Der kreuch in diesen Sack hinein!

»Wollen wir?« fragte der Schulmeister den Pfarrer mit Zähneklappern. »Zeit wär's, vorm Torschluß. Der heilige Apostel Petrus ruft uns, das ist keine Frage. Aber Reisegeld?« – »Ich habe mir zwanzig Kronen erdarbt«, wisperte das Schulmeisterlein. »Ich habe hundert Dicketonnen (Laubtaler) für den Notfall zurückgelegt«, sprach der Pfarrer. »Holen wir's und nehmen's mit«, riefen beide und taten also, dann näherten sie sich der schwarzen Gestalt mit Furcht und Zittern. Diese war der Meister-Dieb; er hatte Krebse gekauft und ihnen brennende Wachslichterlein auf den Rücken geklebt, das waren die armen Seelen, hatte einen Mönchsbart und eine Mönchskutte und einen Hopfensack, in den er die beiden Schwarzröcke aufnahm, nachdem er ihnen ihr Erspartes abgenommen. Jetzt schnürte er den Sack zu und schleifte ihn hinter sich her durch das Dorf und durch einen Tümpel, wobei er rief: »Jetzt geht's durch das Rote Meer!«, dann durch den Bach: »Jetzt geht's durch den Bach Kidron«, dann durch die Schloßflur, allwo es kühl war: »Jetzt geht's durch das Tal Josaphat«, dann zur Treppe hinauf: »Dieses ist schon die Himmelsleiter«, endlich hing er den Sack im Schornstein auf an einen Haken, daran man die Schinken räuchert, machte darunter einen ziemlichen Qualm und rief mit schrecklicher Stimme: »Dieses ist das Fegefeuer! Dieses dauert etwelche Jahre!« und machte sich fort. Da schrien Pfarrer und Schulmeister Zeter und Mordio, daß das ganze Hausgesinde zusammenlief.

Der Meister-Dieb aber trat kecklich zum Edelmann: »Herr Pate, meine dritte Probe ist auch gelöst. Pfarrer und Schulmeister hängen im Schornstein, und so es Euch gefällig, könnt ihr sie selber zappeln sehen und schreien hören!« – »O du Erzschalk und Erzgauner, du Erzbösewicht und Meister-Dieb aller Meister-Diebe!« rief der Edelmann und gab gleich Befehl, jene aus dem Fegefeuer zu erlösen. »Du hast mich überwunden, hebe dich von dannen! Hier hast du ein Goldstück. Hebe dich von dannen, komme mir nicht wieder vor Augen, und laß dich für dein Geld henken, wo es dir gefällig ist.«

»Danke zum allerschönsten, gestrenger Herr Pate, und will so tun!« antwortete der Spitzbub, »aber wollt Ihr nicht die Pfänder auslösen, die ich redlich erworben habe? Euer Leibroß mit zweihundert Kronen, Eurer Gemahlin Trauring und das Tuch mit hundert Kronen, des Pfarrers und Schulmeisters Geld mit hundertundzwanzig Kronen! Wo nicht, so fahr' ich damit von dannen.« Den Edelmann rührte fast der Schlag; er sprach: »Lieber Pate, das war ja alles nur ein Spaß, du wirst diese Güter nicht an dir behalten wollen; ich schenke dir ja das Leben.« »Nun, so will ich gehen, und Euch die Sachen alle herbringen!« sprach der Meister-Dieb; ging und ließ seinen Wagen anspannen, seinen alten Vater und seine Mutter hineinsetzen, setzte sich selbst auf des Edelmanns Roß, steckte den prächtigen Ring an den Finger und schickte dem Edelmann nur das Bett-Tuch mit einem Brieflein, darin stand: »Gebt dem Pfarrer und dem Schulmeister ihr Geld zurück, sonst stiehlt Euch Eure Frau

Dero untertäniger Pate und Meister-Dieb.«

Da bekam der Edelmann große Furcht, trug den Schaden und wollte nichts mehr von seinem Paten wissen, erfuhr auch nichts mehr von ihm, denn der war mit seinen Eltern in ein fernes Land gezogen und ein ehrlicher und angesehener Mann geworden.

Die verzauberte Prinzessin

s war einmal ein armer Handwerksmann, der hatte zwei Söhne, einen guten, der hieß Hans, und einen bösen, der hieß Helmerich. Wie das aber wohl geht in der Welt, der Vater hatte den bösen mehr lieb als den guten.

Nun begab es sich, daß das Jahr einmal ein mehr als gewöhnlich teures war und dem Meister der Beutel leer ward. Ei! dachte er, man muß zu leben wissen. Sind die Kunden doch so oft zu dir gekommen, nun ist es an dir, höflich zu sein und dich zu ihnen zu bemühen. Gesagt, getan. Früh morgens zog er aus und klopfte an mancher stattlichen Tür; aber wie es sich denn so trifft, daß die stattlichsten Herren nicht die besten Zahler sind, die Rechnung zu bezahlen hatte niemand Lust.

So kam der Handwerksmann müde und matt des Abends in seine Heimat, und trübselig setzte er sich vor die Türe der Schenke ganz allein, denn er hatte weder das Herz, mit den Zechgästen zu plaudern, noch freute er sich sehr auf das lange Gesicht seines Weibes. Aber wie er da saß in Gedanken versunken, konnte er doch nicht lassen hinzuhören auf das Gespräch, das drinnen geführt ward. Ein Fremder, der eben aus der Hauptstadt angelangt war, erzählte, daß die schöne Königstochter von einem bösen Zauberer gefangengesetzt sei und müsse im Kerker bleiben ihr Lebelang, wenn nicht jemand sich fände, der die drei Proben löste, welche der Zauberer gesetzt hatte. Fände sich aber einer, so wäre die Prinzeß sein und ihr ganzes herrliches Schloß mit all seinen Schätzen.

Das hörte der Meister an, zuerst mit halbem Ohr, dann mit dem ganzen und zuletzt mit allen beiden, denn er dachte: mein Sohn Helmerich ist ein aufgeweckter Kopf, der wohl den Ziegenbock barbieren möchte, so das einer von ihm heischte; was gilt's, er löst die Proben und wird der Gemahl der schönen Prinzeß und Herr über Land und Leute. Denn also hatte der König, ihr Vater, verkündigen lassen. – Schleunig kehrte er nach Haus und vergaß seine Schulden und Kunden über der neuen Mär, die er eilig seiner Frau hinterbrachte.

Des andern Morgens schon sprach er zum Helmerich, daß er ihn mit Roß und Wehr ausrüsten wolle zu der Fahrt, und wie schnell machte der sich auf die Reise! Als er Abschied nahm, versprach er seinen Eltern, er wolle sie samt dem dummen Bruder Hans gleich holen lassen in einem sechsspännigen Wagen; denn er meinte schon, er wäre König. Übermütig wie er dahinzog, ließ er seinen Mutwillen aus an allem, was ihm in den Weg kam. Die Vögel, die auf den Zweigen saßen und den Herrgott lobten mit Gesang, wie sie es verstanden, scheuchte er mit der Gerte von den Ästen, und kein Getier kam ihm in den Weg, daran er nicht seinen Schabernack ausgelassen hätte.

Und zum ersten begegnete er einem Ameisenhaufen; den ließ er sein Roß zertreten, und die Ameisen, die erzürnt an sein Roß und an ihn selbst krochen und Pferd und Mann bissen, erschlug und erdrückte er alle. Weiter kam er an einen klaren Teich, in dem schwammen zwölf Enten. Helmerich lockte sie ans Ufer und tötete deren elf, nur die zwölfte entkam. Endlich traf er auch einen schönen Bienenstock; da machte er es den Bienen, wie er es den Ameisen gemacht. Und so war seine Freude, die unschuldige Kreatur nicht sich zum Nutzen, sondern aus bloßer Tücke zu plagen und zu zerstören.

Als Helmerich nun bei sinkender Sonne das prächtige Schloß erreicht hatte, darin die Prinzessin verzaubert war, klopfte er gewaltig an die geschlossene Pforte. Alles war still; immer heftiger pochte der Reiter. Endlich tat sich ein Schiebfenster auf, und hervor sah ein altes Mütterlein mit spinnewebfarbigem Gesichte, die fragte verdrießlich, was er begehre. »Die Prinzeß will ich erlösen«, rief Helmerich, »geschwind macht mir auf.« »Eile mit Weile, mein Sohn«, sprach die Alte; »morgen ist auch ein

Tag, um neun Uhr werde ich dich hier erwarten.« Damit schloß sie den Schalter.

Am andern Morgen um neun Uhr, als Helmerich wieder erschien, stand das Mütterchen schon seiner gewärtig mit einem Fäßchen voll Leinsamen, den sie ausstreute auf eine schöne Wiese. »Lies die Körner zusammen«, sprach sie zu dem Reiter, »in einer Stunde komme ich wieder, da muß die Arbeit getan sein.« – Helmerich aber dachte, das sei ein alberner Spaß und lohne es nicht, sich darum zu bücken; er ging derweil spazieren, und als die Alte wiederkam, war das Fäßchen so leer wie vorher. »Das ist nicht gut«, sagte sie. Darauf nahm sie zwölf goldene Schlüsselchen aus der Tasche und warf sie einzeln in den tiefen dunklen Schloßteich.

31

»Hole die Schlüssel herauf«, sprach sie, »in einer Stunde komme ich wieder, da muß die Arbeit getan sein.« Helmerich lachte und tat wie vorher.

Als die Alte wiederkam und auch diese Aufgabe nicht gelöst war, da rief sie zweimal: »Nicht gut! nicht gut!« Doch nahm sie ihn bei der Hand und führte ihn die Treppe hinauf in den großen Saal des Schlosses; da saßen drei Frauenbilder, alle drei in dichte Schleier verhüllt. »Wähle, mein Sohn«, sprach die Alte, »aber sieh dich vor, daß du recht wählst. In einer Stunde komme ich wieder.« Helmerich war nicht klüger, da sie wiederkam als da sie wegging; übermütig aber rief er aufs Geratewohl: »Die zur Rechten wähl' ich.«

Da warfen alle drei die Schleier zurück; in der Mitte saß die holdselige Prinzeß, rechts und links zwei scheußliche Drachen, und der zur Rechten packte den Helmerich in seine Krallen und warf ihn durch das Fenster in den tiefen Abgrund.

Ein Jahr war verflossen, seit Helmerich ausgezogen, die Prinzeß zu erlösen, und noch immer war bei den Eltern kein sechsspänniger Wagen angelangt. »Ach!« sprach der Vater, »wäre nur der ungeschickte Hans ausgezogen statt unsres besten Buben, da wäre das Unglück doch geringer.«

»Vater«, sagte Hans, »laßt mich hinziehen, ich will's auch probieren.« Aber der Vater wollte nicht, denn was dem Klugen mißlingt, wie führte das der Ungeschickte zu Ende? Da der Vater ihm Roß und Wehr versagte, machte Hans sich heimlich auf und wanderte wohl drei Tage denselben Weg zu Fuß, den der Bruder an einem geritten war. Aber er fürchtete sich nicht, und schlief des Nachts auf dem weichen Moos unter den grünen Zweigen so sanft wie unter dem Dach seiner Eltern; die Vögel des Waldes scheuten sich nicht vor ihm, sondern sangen ihn in Schlaf mit ihren besten Weisen. Als er nun an die Ameisen kam, die beschäftigt waren, ihren neuen Bau zu vollenden, störte er sie nicht, sondern wollte ihnen helfen, und die Tierchen, die an ihm hinaufkrochen, las er ab, ohne sie zu töten, wenn sie ihn auch bissen. Die Enten lockte er auch ans Ufer, aber um sie mit Brosamen zu füttern; den Bienen

32

warf er die frischen Blumen hin, die er am Wege gepflückt hatte. So kam er fröhlich an das Königsschloß und pochte bescheiden am Schalter. Gleich tat die Türe sich auf und die Alte fragte nach seinem Begehr.

»Wenn ich nicht zu gering bin, möchte ich es auch versuchen, die schöne Prinzeß zu erlösen«, sagte er.

»Versuche es, mein Sohn«, sagte die Alte, »aber wenn du die drei Proben nicht bestehst, kostet es dein Leben.«

»Wohlan, Mütterlein«, sprach Hans, »sage, was ich tun soll.«

Jetzt gab die Alte ihm die Probe mit dem Leinsamen. Hans war nicht faul, sich zu bücken, doch schon schlug es drei Viertel und das Fäßchen war noch nicht halb voll. Da wollte er schier verzagen; aber auf einmal kamen schwarze Ameisen mehr als genug, und in wenigen Minuten lag kein Körnlein mehr auf der Wiese. Als die Alte kam, sagte sie: »Das ist gut!« und warf die zwölf Schlüssel in den Teich, die sollte er in einer Stunde herausholen. Aber Hans brachte keinen Schlüssel aus der Tiefe; so tief er auch tauchte, er kam nicht an den Grund. Verzweifelnd setzte er sich ans Ufer; da kamen die zwölf Entchen herangeschwommen, jede mit einem goldenen Schlüsselchen im Schnabel, die warfen sie ins feuchte Gras.

So war auch diese Probe gelöst, als die Alte wiederkam, um ihn nun in den Saal zu führen, wo die dritte und schwerste Probe seiner harrte. Verzagend sah Hans auf die drei gleichen Schleiergestalten; wer sollte ihm hier helfen? Da kam ein Bienenschwarm durchs offene Fenster geflogen, die kreisten durch den Saal und summten um den Mund der drei Verhüllten. Aber von rechts und links flogen sie schnell wieder zurück, denn die Drachen rochen nach Pech und Schwefel, wovon sie leben; die Gestalt in der Mitte umkreisten sie alle und surrten und schwirrten leise: »Die Mittle, die Mittle.« Denn da duftete ihnen der Geruch ihres eigenen Honigs entgegen, den die Königstochter so gern aß. Also, da die Alte wiederkam nach einer Stunde, sprach Hans ganz getrost: »Ich wähle die Mittle.«

Und da fuhren die bösen Drachen zum Fenster hinaus, die schöne Königstochter aber warf ihren Schleier ab und freute sich der Erlösung und ihres schönen Bräutigams. Und Hans sandte dem Vater der Prinzeß den schnellsten Boten und zu seinen Eltern einen goldenen Wagen mit sechs Pferden bespannt, und sie alle lebten herrlich und in Freuden, und wenn sie nicht gestorben sind, leben sie heute noch.

Der Schmied von Jüterbogk

m Städtlein Jüterbogk hat einmal ein Schmied gelebt, von dem erzählen sich Kinder und Alte ein wundersames Märlein. Es war dieser Schmied erst ein junger Bursche, der einen sehr strengen Vater hatte, aber treulich Gottes Gebote hielt. Er tat große Reisen und erlebte viele Abenteuer, dabei war er in seiner Kunst über alle Maßen geschickt und tüchtig. Er hatte eine Stahltinktur, die jeden Harnisch und Panzer undurchdringlich machte, welcher damit bestrichen wurde, und gesellte sich dem Heere Kaiser Friedrichs II. zu, wo er kaiserlicher Rüstmeister wurde und den Kriegszug nach Mailand und Apulien mitmachte. Dort eroberte er den Heer- und Bannerwagen der Stadt und kehrte endlich, nachdem der Kaiser gestorben war, mit vielem Reichtum in seine Heimat zurück. Er sah gute Tage, dann wieder böse, und wurde über hundert Jahre alt. Einst saß er in seinem Garten unter einem alten Birnbaum, da kam ein graues Männlein auf einem Esel geritten, das sich schon mehrmals als des Schmiedes Schutzgeist bewiesen hatte. Dieses Männchen herbergte bei dem Schmied und ließ den Esel beschlagen, was jener gern tat, ohne Lohn zu heischen. Darauf sagte das Männlein zu Peter, er solle drei Wünsche tun, aber dabei das Beste nicht vergessen. Da wünschte der Schmied, weil die Diebe ihm oft die Birnen gestohlen, es solle keiner, der auf den Birnbaum gestiegen, ohne seinen Willen wieder herunter können – und weil er auch in der Stube öfters bestohlen worden war, so wünschte er, es solle niemand ohne seine Erlaubnis in die Stube kommen können, es wäre denn durch das Schlüsselloch. Bei jedem dieser törichten Wünsche warnte das Männlein: »Vergiß das Beste nicht!« und da tat der Schmied den dritten Wunsch, sagend: »Das Beste ist ein guter Schnaps, so wünsche ich, daß diese Bulle niemals leer werde!« – »Deine

Wünsche sind gewährt«, sprach das Männchen, strich noch über einige Stangen Eisen, die in der Schmiede lagen, mit der Hand, setzte sich auf seinen Esel und ritt von dannen.

Das Eisen war in blankes Silber verwandelt. Der vorher arm gewordene Schmied war wieder reich und lebte fort und fort bei gutem Wohlsein, denn die nie versiegenden Magentropfen in der Bulle waren, ohne daß er es wußte, ein Lebenselixier. Endlich klopfte der Tod an, der ihn so lange vergessen zu haben schien; der Schmied war scheinbar auch gern bereitwillig, mit ihm zu gehen und bat nur, ihm ein kleines Labsal zu vergönnen und ein paar Birnen von dem Baum zu holen, den er nicht selbst mehr besteigen könne aus großer Altersschwäche. Der Tod stieg auf den Baum, und der Schmied sprach: »Bleib droben!« denn er hatte Lust, noch länger zu leben. Der Tod fraß alle Birnen vom Baum, dann gingen seine Fasten an, und vor Hunger verzehrte er sich selbst mit Haut und Haar, daher er jetzt nur noch so ein scheußlich dürres Gerippe ist.

Auf Erden aber starb niemand mehr, weder Mensch noch Tier, darüber entstand viel Unheil, und endlich ging der Schmied hin zu dem klappernden Tod und akkordierte mit ihm, daß er ihn fürder in Ruhe lasse, dann ließ er ihn los. Wütend floh der Tod von dannen und begann nun auf Erden aufzuräumen. Da er sich an dem Schmied nicht rächen konnte, so hetzte er ihm den Teufel auf den Hals, daß dieser ihn hole. Dieser machte sich flugs auf den Weg, aber der pfiffige Schmied roch den Schwefel voraus, schloß seine Türe zu, hielt mit den Gesellen einen ledernen Sack an das Schlüsselloch, und wie Herr Urian hindurchfuhr, da er nicht anders in die Schmiede konnte, wurde der Sack zugebunden, zum Amboß getragen, und nun ganz unbarmherziglich mit den schwersten Hämmern auf den Teufel losgepocht, daß ihm Hören und Sehen verging, er ganz mürbe wurde und das Wiederkommen auf immer verschwur.

Nun lebte der Schmied noch gar lange Zeit in Ruhe, bis er, wie alle Freunde und Bekannte ihm gestorben waren, des Erdenlebens

satt und müde wurde. Machte sich deshalb auf den Weg und ging nach dem Himmel, wo er bescheidentlich am Tore anklopfte. Da schaute der heilige Petrus herfür, und Peter der Schmied erkannte in ihm seinen Schutzpatron und Schutzgeist, der ihn oft aus Not und Gefahr sichtbarlich errettet und ihm zuletzt die drei Wünsche gewährt hatte. Jetzt aber sprach Petrus: »Hebe dich weg, der Himmel bleibt dir verschlossen; du hast das Beste zu erbitten vergessen: die Seligkeit!« – Auf diesen Bescheid wandte sich Peter und gedachte sein Heil in der Hölle zu versuchen, und wanderte wieder abwärts, fand auch bald den rechten, breiten und vielbegangenen Weg. Wie aber der Teufel erfuhr, daß der Schmied von Jüterbogk im Anzuge sei, schlug er das Höllentor ihm vor der Nase zu und setzte die Hölle gegen ihn in Verteidigungsstand.

Da nun der Schmied von Jüterbogk weder im Himmel noch in der Hölle seine Zuflucht fand, und auf Erden es ihm nimmer gefallen wollte, so ist er hinab in den Kyffhäuser gegangen zu Kaiser Friedrichen, dem er einst gedient. Der alte Kaiser, sein Herr, freute sich, als er seinen Rüstmeister Peter kommen sah und fragte ihn gleich, ob die Raben noch um den Turm der Burgruine Kyffhäuser flögen? Und als Peter das bejahte, so seufzte der Rotbart.

Der Schmied aber blieb im Berge, wo er des Kaisers Handpferd und die Pferde der Prinzessin und die der reitenden Fräulein beschlägt, bis des Kaisers Erlösungsstunde auch ihm schlagen wird. – Und das wird geschehen nach dem Munde der Sage, wenn dereinst die Raben nicht mehr um den Berg fliegen, und auf dem Ratsfeld nahe dem Kyffhäuser ein alter, dürrer, abgestorbener Birnbaum wieder ausschlägt, grünt und blüht. Dann tritt der Kaiser hervor mit all seinen Wappnern, schlägt die große Schlacht der Befreiung und hängt seinen Schild an den wieder grünen Baum. Hierauf geht er ein mit seinem Gesinde zu der ewigen Ruhe.

Hänsel und Gretel

s war einmal ein armer Holzhauer, der lebte mit seiner Frau und zwei Kindern in einer dürftigen Waldhütte. Die Kinder hießen Hänsel und Gretel, und wie sie so heranwuchsen, gebrach es immer mehr den armen Leuten an Brot. Auch wurde die Zeit immer schwerer und alle Nahrung teurer, das machte den beiden Eltern große Sorge. Eines Abends, als sie ihr hartes Lager gesucht hatten, seufzte der Mann: »Ach Frau, wie wollen wir nur die Kinder durchbringen, da der Winter herankommt und wir für uns selbst nichts haben!« Und da erwiderte die Mutter: »Keinen andern Rat weiß ich, als daß du sie in den Wald führst, je eher je lieber, gibst jedem noch ein Stücklein Brot, machst ihnen ein Feuer an, befiehlst sie dem lieben Gott und gehst hinweg.«

»O lieber Gott! Wie soll ich das vollbringen an meinen eigenen Kindern, Frau?« fragte der Holzhauer bekümmert. »Nun wohl, so laß es bleiben!« fuhr die Frau böse heraus, »so kannst du eine Totenlade für uns alle viere zimmern und die Kinder Hungers sterben sehen!«

Die zwei Kinder, welche der Hunger in ihrem Moosbettchen noch wach erhielt, hörten mit an, was die Mutter und der Vater miteinander sprachen, und das Schwesterlein begann zu weinen, Hänsel aber tröstete es und sprach: »Weine nicht, Gretel, ich helfe uns schon«; wartete, bis die Alten schliefen, wischte aus der Hütte, suchte im Mondschein weiße Steinchen, verbarg sie wohl, und schlich wieder herein, worauf er und das Schwesterlein bald entschlummerten.

Am Morgen geschah nun, was die Eltern vorher besprochen. Die Mutter reichte jedem Kind ein Stück Brot und sagte: »Das ist für heute alles; haltet's zu Rate.« Gretel trug das Brot, Hänsel trug

39

heimlich seine Steinchen, der Vater hatte seine Holzaxt im Arm, die Mutter schloß das Haus zu und folgte mit einem Wasserkruge nach. Hänsel machte sich hinter die Mutter, so daß er der letzte war auf dem Wege, guckte oft zurück nach dem Häuschen, und wie er es nicht sah, ließ er gleich ein weißes Steinchen fallen, und nach ein paar Schritten wieder eins, und so immer fort.

Nun waren alle mitten in dem tiefen Walde, und da machte der Vater ein Feuer an, wozu die Kinder des Reisigs viel herbeitrugen, und die Mutter sagte zu den Kindern: »Ihr seid wohl müde, jetzt legt euch an das Feuer und schlaft, indes wir Holz fällen, nachher kommen wir wieder und holen euch ab.«

Die Kinder schlummerten ein wenig, und als sie erwachten stand die Sonne hoch im Mittag, das Feuer war abgebrannt, und da Hänsel und Gretel Hunger hatten, verzehrten sie ihr Stücklein Brot. Wer nicht kam, das waren die Eltern. Und nachher sind die Kinder wieder eingeschlafen, bis es dunkel wurde, da waren sie noch immer allein, und Gretel fing an zu weinen und sich zu fürchten. Hänsel tröstete sie aber und sagte: »Fürchte dich nicht, Schwester, der liebe Gott ist ja bei uns, und bald geht der Mond auf, da gehen wir heim.«

Und wirklich ging bald darauf der Mond in voller Pracht auf und leuchtete den Kindern auf den Heimweg und beglänzte die silberweißen Kieselsteine. Hänsel faßte Gretel bei der Hand und so gingen die Kinder miteinander fort ohne Furcht und ohne Unfall, und wie der frühe Morgen graute, da sahen sie des Vaters Dach durch die Büsche schimmern, kamen an das Waldhäuslein und klopften an. Wie die Mutter die Tür öffnete, erschrak sie ordentlich, als sie die Kinder sah, wußte nicht, ob sie schelten oder sich freuen sollte, der Vater aber freute sich, und so wurden die beiden Kinder wieder mit Gottwillkommen in das Häuslein eingelassen.

Es währte aber gar nicht lang, so wurde die Sorge aufs neue laut und jenes Gespräch und der Beschluß, die Kinder in den Wald zu führen und sie dort allein und in des Himmels Fürsorge zu lassen, wiederholten sich. Wieder hörten die Kinder das traurige Gespräch mit an, bekümmerten Herzens, und der kluge Hänsel machte sich vom Lager auf, wollte wieder blanke Steine suchen, aber da war die Türe des Waldhäusleins fest verschlossen, denn die Mutter hatte es gemerkt und darum die Türe zugemacht. Doch tröstete Hänsel abermals das weinende Schwesterlein und sagte: »Weine nicht, lieb Gretel, der liebe Gott weiß alle Wege, wird uns schon den rechten führen.«

Am andern Morgen in der Frühe mußten alle aufstehen, wieder in den Wald zu wandern, und da empfingen die Kinder wieder Brot, noch kleinere Stücklein wie zuvor, und der Weg ging noch tiefer in den Wald hinein; Hänslein aber zerbröckelte heimlich sein Brot in der Tasche und streute, statt jener Steine, Krümlein auf den Weg, meinte, danach sich mit dem Schwesterchen wohl zurückzufinden. Und nun geschah alles, wie zuvor auch; ein großes Feuer wurde entzündet, und die Kinder mußten wieder schlafen, und wie sie aufwachten, waren sie allein, und die Eltern kamen nimmer wieder. Und der Mittag kam, und Gretel teilte ihr Stückchen Brot mit Hänsel, weil der seines verstreut in lauter Bröselein auf dem Weg, und dann schliefen sie wieder ein und erwachten abends verlassen und einsam. Gretel weinte, Hänsel aber war gottgetrost, meinte den Weg durch die Brotbröselein wohl zu finden, wartete, bis der Mond aufgegangen war, nahm dann die Gretel bei der Hand und sprach zu ihr: »Komm, Schwester, nun gehen wir heim.«

Aber wie Hänsel die Krümlein suchte, war ihrer keines mehr da, denn die Waldvögelein hatten alle, alle aufgepickt und sie sich wohl schmecken lassen. Und da wanderten die Kinder die ganze Nacht durch den Wald, kamen bald vom Wege ab, verirrten sich und waren sehr traurig. Endlich schliefen sie ein auf weichem Moos und erwachten hungrig, wie der Morgen graute, denn sie hatten keinen Bissen Brot mehr, und mußten ihren Durst und Hunger nur mit den schönen Waldbeeren stillen, die da und dort standen. Und wie sie so im Walde herumirrten, ohne Weg und

41

Steg zu finden, siehe, da kam ein schneeweißes Vöglein geflogen, das flog immer vor ihnen her, als wenn es den Kindern den Weg zeigen wollte, und sie gingen dem Vöglein fröhlich nach. Mit einem Male sahen sie ein kleines Häuschen, auf dessen Dach das Vöglein flog; es pickte darauf, und wie die Kinder ganz nahe daran waren, konnten sie sich nicht genug freuen und wundern, denn das Häuschen bestand aus Brot, davon waren die Wände, das Dach war mit Eierkuchen gedeckt und die Fenster waren von durchsichtigen Kandiszuckertafeln. Das war den Kindern recht, sie aßen vom Häusleindach und von einer zerbrochenen Fensterscheibe. Da ließ sich plötzlich drinnen eine Stimme vernehmen, die rief:

> »Knusper, knusper, kneischen!
> Wer knuspert mir am Häuschen?«

Darauf antworteten die Kinder:

> »Der Wind, der Wind,
> Das himmlische Kind!«

und aßen weiter, denn sie waren sehr hungrig gewesen und es schmeckte ihnen ganz vortrefflich.

Da ging die Tür des Häusleins auf und trat ein steinaltes, krummgebücktes, triefäugiges Mütterlein heraus von nicht geringer Häßlichkeit, Gesicht und Stirne voll Runzeln und inmitten eine große, große Nase. Hatte auch grasgrüne Augen. Die Kinder erschraken nicht wenig, die Alte aber tat ganz freundlich und sagte: »Ei, traute Kindlein, kommt doch herein ins Häuschen, kommt doch herein! Da gibt's noch viel bessern Kuchen!«

Die Kinder folgten der Alten gerne, und drinnen trug die Alte auch auf, daß es eine Lust war. Da gab es Herz was magst du? Biskuit und Marzipan, Zucker und Milch, Äpfel und Nüsse und köstlichen Kuchen. Und während die Kinder immerfort aßen und

fröhlich waren, richtete die Alte zwei Bettchen zu von feinen Daunenkissen und lilienweißen Linnen, da hinein brachte sie die Kinder zur Ruhe, die meinten im Himmel zu sein, beteten einen frommen Abendsegen und entschliefen alsbald.

Es hatte aber mit der Alten ein gar schlimmes Bewenden. Sie war eine böse und garstige Hexe, welche die Kinder fraß, die sie durch ihr Brot- und Kuchenhäuslein anlockte, nachdem sie sie erst recht fett gefüttert.

Dies hatte sie auch mit Hänsel und Gretel im Sinne. In aller Frühe stand die Alte schon vor dem Bette der noch süß schlafenden Kinder, freute sich über ihren Fang, riß Hänsel aus dem Bette und trug ihn nach dem eng vergitterten Gänsestall, verstopfte ihm auch, damit er nicht schreie, den Mund. Dann weckte sie die arme Gretel mit Heftigkeit und schrie sie mit rauher Stimme an: »Steh auf, faule Dirne! Dein Bruder steckt im Stall, wir müssen ihm ein gutes Essen kochen, auf daß er fett wird und für mich einen guten Braten gibt!«

Da erschrak die Gretel zum Tode, weinte und schrie, es half aber nichts, sie mußte gehorchen und aufstehen, Essen kochen helfen und durfte es selbst nach dem Stalle tragen und mit ihrem eingesperrten Bruder weinen. Sie selbst ward von der Hexe gar gering gehalten. Das dauerte so eine Zeit, während welcher die Alte öfters nach dem Stalle schlich und Hänsel befahl, einen Finger durch das Gitter zu stecken, damit sie fühle, ob er fett werde. Hänsel aber steckte immer ein dürres Knöchelchen heraus, und sie verwunderte sich, daß der Junge trotz dem guten Essen so mager blieb. Endlich war sie das müde und sprach zur Gretel: »Kurz und gut, heute wird er gebraten«, und machte ein mächtiges Feuer in den Backofen, der neben dem Häuschen stand, da schob sie hernach Brot hinein, damit sie frischgebackenes zum Braten habe. Das Gretel wußte seines Herzens keinen Rat, und endlich hieß ihm die alte Hexe sich auf die Schiebeschaufel zu setzen und in den Backofen zu lugen, die Alte wollte sie nur ein bissel in den Ofen schieben, damit die Gretel sehe, ob das Brot braun sei, eigentlich aber wollte sie das arme Mägdlein gleich zuerst darin braten.

Da kam aber das schneeweiße Vögelein geflogen und sang: »Hüt dich, hüt dich, sieh dich für!« Und da gingen der Gretel die Augen auf, daß sie der Alten böse List durchschaute und sagte: »Zeiget mir's zuvor, wie ich's machen muß, dann will ich's tun.« Gleich setzte sich die Alte auf das Ofenbrett und die Gretel schob am Stiel und schob sie so weit in den Backofen, als der Stiel lang war, und dann klapp, schlug sie das eiserne Türlein vor dem Ofen zu, schob den Riegel vor, und da der Ofen noch erstaunlich heiß war, mußte die alte Hexe drinnen brickeln und braten und elendiglich umkommen zum Lohn ihrer Übeltaten. Gretel aber lief zum Hänsel, ließ den aus dem Gänsestall, der kam heraus und fiel vor Freude dem treuen Schwesterchen um den Hals. Sie küßten sich und weinten vor Freude und dankten Gott.

Und da war das weiße Vögelein wieder da, und auch viele, viele andere Waldvöglein, die flogen auf das Kuchendach des Häusleins, darauf war ein Nest, und daraus nahm jedes Vöglein ein buntes Steinchen oder eine Perle und trugen sie hin zu den Kindern, und Gretel hielt sein Schürzchen auf, daß es alle die vielen Steinchen fasse. Das schneeweiße Vöglein sang:

»Perlen und Edelstein,
Für die Brotbröselein.«

Da merkten die Kinder, daß die Vöglein dankbar dafür waren, daß
Hänsel Brotkrumen auf den Weg gestreut hatte, und nun flog das
weiße Vöglein wieder vor ihnen her, daß es ihnen den Weg aus
dem Walde zeige. Bald kamen sie an ein mächtiges Wasser, da
standen sie ratlos und konnten nicht weiter und nicht darüber.
Plötzlich aber kam ein großer, schöner Schwan geschwommen,
dem riefen die Kinder zu: »O schöner Schwan, sei unser Kahn!«
Und der Schwan neigte seinen Kopf und ruderte zum Ufer und
trug die Kinder, eins nach dem andern, hinüber ans andere Ufer.
Das weiße Vöglein aber war schon hinüber geflattert und flog
immer vor den Kindern her, bis sie endlich aus dem Walde kamen,
wieder an der Eltern kleines Haus.

Der alte Holzhauer und seine Frau saßen traurig und still in
dem engen Stüblein und hatten großen Kummer um die Kinder,
bereuten auch viele Tausendmal, daß sie dieselben fortgelassen,
und seufzten: »Ach, wenn doch der Hänsel und die Gretel nur
noch ein allereinzigesmal wieder kämen, ach, da wollten wir sie
nimmermehr wieder allein im Walde lassen« – da ging gerade die
Türe auf, ohne daß erst angeklopft worden wäre, und Hänsel und
Gretel traten leibhaftig herein! Das war eine Freude! Und als nun
vollends erst die kostbaren Perlen und Edelsteine zum Vorschein
kamen, welche die Kinder mitbrachten, da war Freude in allen
Ecken, und alle Not und Sorge hatte fortan ein Ende.

Das Rotkäppchen

 s war einmal ein gar allerliebstes, niedliches Ding von einem Mädchen, das hatte eine Mutter und eine Großmutter, die waren gar gut und hatten das kleine Ding so lieb. Die Großmutter absonderlich, die wußte gar nicht, wie gut sie's mit dem Enkelchen meinen sollte, schenkt' ihm immer dies und das und hatte ihm auch ein feines Käppchen von rotem Sammet geschenkt, das stand dem Kind so überaus hübsch, und das wußte auch das kleine Mädchen und wollte nichts anderes mehr tragen, und darum hieß es bei alt und jung nur das Rotkäppchen.

Mutter und Großmutter wohnten aber nicht beisammen in einem Häuschen, sondern eine halbe Stunde voneinander, und zwischen den beiden Häusern lag ein Wald. Da sprach eines Morgens die Mutter zum Rotkäppchen: »Liebes Rotkäppchen, Großmutter ist schwach und krank geworden und kann nicht zu uns kommen. Ich habe Kuchen gebacken, geh und bringe Großmutter von dem Kuchen und auch eine Flasche Wein, und grüße sie recht schön von mir, und sei recht vorsichtig, daß du nicht fällst und etwa die Flasche zerbrichst, sonst hätte die kranke Großmutter nichts. Laufe nicht im Walde herum, bleibe hübsch auf dem Wege, und bleibe auch nicht zu lange aus.«

»Das will ich alles so machen wie du befiehlst, liebe Mutter«, antwortete Rotkäppchen, band ihr Schürzchen um, nahm einen leichten Korb, in den es die Flasche und den Kuchen von der Mutter legen ließ, und ging fröhlichen Schrittes in den Wald hinein.

Wie es so völlig arglos dahinwandelte, kam ein Wolf daher. Das gute Kind kannte noch keine Wölfe und hatte keine Furcht. Als der Wolf näher kam, sagte er: »Guten Tag, Rotkäppchen!«

»Schönen Dank, Herr Graubart!«

»Wo soll es denn hingehen so in aller Frühe, mein liebes Rotkäppchen?« fragte der Wolf.

»Zur alten Großmutter, die nicht wohl ist!« antwortete Rotkäppchen.

»Was willst du denn dort machen? Du willst ihr wohl was bringen?«

»Ei freilich, wir haben Kuchen gebacken, und Mutter hat mir auch Wein mitgegeben, den soll sie trinken, damit sie wieder stark wird.«

»Sage mir doch noch, mein liebes scharmantes Rotkäppchen, wo wohnt denn deine Großmutter? Ich möchte wohl einmal, wenn ich an ihrem Hause vorbeikomme, ihr meine Hochachtung an den Tag legen«, fragte der Wolf.

»Ei gar nicht weit von hier, ein Viertelstündchen, da steht ja das Häuschen gleich am Walde, Ihr müßt ja daran vorbeigekommen sein. Es stehen Eichenbäume dahinter, und im Gartenzaun wachsen Haselnüsse!« plauderte das Rotkäppchen.

O du allerliebstes, appetitliches Haselnüßchen du – dachte bei sich der falsche böse Wolf. Dich muß ich knacken, das ist einmal ein süßer Kern. – Und tat als wolle er Rotkäppchen noch ein Stückchen begleiten und sagte zu ihm: »Sieh nur, wie da drüben und dort drüben so schöne Blumen stehen, und horch nur, wie allerliebst die Vögel singen! Ja, es ist sehr schön im Walde, sehr schön, und wachsen so gute Kräuter darinnen, Heilkräuter, mein liebes Rotkäppchen.«

»Ihr seid gewiß ein Doktor, werter grauer Herr?« fragte Rotkäppchen, »weil Ihr die Heilkräuter kennt. Da könntet Ihr mir ja auch ein Heilkraut für meine kranke Großmutter zeigen!«

»Du bist ein ebenso gutes als kluges Kind!« lobte der Wolf. »Ei freilich bin ich ein Doktor und kenne alle Kräuter, siehst du, hier steht gleich eins, der Wolfsbast, dort im Schatten wachsen die Wolfsbeeren, und hier am sonnigen Rain blüht die Wolfsmilch, dort drüben findet man die Wolfswurz.«

»Heißen denn alle Kräuter nach dem Wolf?« fragte Rotkäppchen.

»Die besten, nur die besten, mein liebes, frommes Kind!« sprach der Wolf mit rechtem Hohn. Denn alle, die er genannt, waren Giftkräuter. Rotkäppchen aber wollte in ihrer Unschuld der Großmutter solche Kräuter als Heilkräuter pflücken und mitbringen, und der Wolf sagte:

»Lebe wohl, mein gutes Rotkäppchen, ich habe mich gefreut, deine Bekanntschaft zu machen; ich habe Eile, muß eine alte schwache Kranke besuchen!«

Und damit eilte der Wolf von dannen und spornstreichs nach dem Hause der Großmutter, während das Rotkäppchen sich schöne Waldblumen zum Strauße pflückte und die vermeintlichen Heilkräuter sammelte.

Als der Wolf an das Häuschen der Großmutter des Rotkäppchens kam, fand er es verschlossen und klopfte an. Die Alte konnte nicht vom Bette aufstehen und nachsehen wer da sei, und rief: »Wer ist draußen?«

»Das Rotkäppchen!« rief der Wolf mit verstellter Stimme. »Die

Der alte Zauberer und seine Kinder, zu Seite 51

Mutter schickt der guten Großmutter Wein und auch Kuchen! Wir haben gebacken!«

»Greife unten durch das Loch in der Türe, da liegt der Schlüssel!« rief die Alte, und der Wolf tat also, öffnete die Türe, trat in das Häuschen, in das Stübchen und verschlang die Großmutter ohne weiteres – zog ihre Kleider an, legte sich in ihr Bett und zog die Decke über sich her und die Bettvorhänge zu. Nach einer Weile kam das Rotkäppchen; es war sehr verwundert, alles so offen zu finden, da doch sonst die Großmutter sich selbst gern unter Schloß und Riegel hielt, und wurd' ihm schier bänglich um das junge Herzchen.

Wie das Rotkäppchen nun an das Bett trat, da lag die alte Großmutter, hatte eine große Schlafhaube auf und war nur wenig von ihr zu sehen, und das Wenige sah gar schrecklich aus. »Ach Großmutter, was hast du so große Ohren?« rief das Rotkäppchen.

»Daß ich dich damit gut hören kann!« war die Antwort.

»Ach Großmutter, was hast du für große Augen!«

»Daß ich dich damit gut sehen kann!«

»Ei Großmutter, was hast du für haarige große Hände!«

»Daß ich dich damit gut fassen und halten kann!«

»Ach Großmutter, was hast du für ein so großes Maul und so lange Zähne!«

»Daß ich dich damit gut fressen kann!« Und damit fuhr der ganze Wolf grimmig aus dem Bette heraus und fraß das arme Rotkäppchen. Weg war's.

Jetzt war der Wolf sehr satt, und es gefiel ihm sehr im Stübchen der Alten und in dem weichen Bett, und legte sich wieder hin und schlief ein und schnarchte, daß es klang, als schnarre ein Räderwerk in einer Mühle.

Zufällig kam ein Jäger vorbei, der hörte das seltsame Geräusch und dachte: Ei, ei, die arme alte Frau da drinnen hat einen bösen Schnarcher am Leib, sie röchelt wohl gar und liegt im Sterben! Du mußt hinein und nachsehen, was mit ihr ist. – Gedacht, getan; der Jäger ging in das Häuschen, da fand er den Herrn Isegrim im Bette der Alten liegen, und die Alte war nirgends zu erblicken. »Bist du da?« sprach der Jäger, und riß die Kugelbüchse von der Schulter. »Komm du her, du bist mir oft genug entlaufen!« – Schon legte er an – da fiel ihm ein: halt – die Alte ist nicht da, am Ende hat der Unhold sie mit Haut und Haar verschlungen, war ohnedies nur ein kleines dürres Weiblein. Und da schoß der Jäger nicht, sondern er zog seinen scharfen Hirschfänger und schlitzte ganz sanft dem fest schlafenden Wolf den Bauch auf, da guckte ein rotes Käppchen heraus, und unter dem Käppchen war ein Köpfchen, und da kam das niedliche, allerliebste Rotkäppchen heraus und sagte: »Guten Morgen! Ach was war das für ein dunkles Kämmerchen da drinnen!« – Und hinter dem Rotkäppchen zappelte die alte Großmutter, die war auch noch lebendig, vielen Platz hatten sie aber nicht gehabt im Wolfsbauch. – Der Wolf schlief noch immer steinfest, und da nahmen sie Steine, gerade wie die alte Geiß im Märchen von den sieben Geißlein, füllten sie dem Wolf in den Bauch und nähten den Ranzen zu, hernach versteckten sie sich, und der Jäger trat hinter einen Baum, zu sehen, was der Wolf endlich anfangen werde. Jetzt wachte der Wolf auf, machte sich aus dem Bett heraus, aus dem Stübchen, aus dem Häuschen, und humpelte zum Brunnen, denn er hatte großen Durst. Unterwegs sagte er: »Ich weiß gar nicht, ich weiß gar nicht, in meinem Bauch wackelt's hin und her, hin und her, wie Wackerstein – sollte das die Großmutter und Rotkäppchen sein?« – Und wie er an den Brunnen kam und trinken wollte, da zogen ihn die Steine und er bekam das Übergewicht und fiel hinein und ertrank. So sparte der Jäger seine Kugel; er zog den Wolf aus dem Brunnen und zog ihm den Pelz ab, und alle drei, der Jäger, die Großmutter und das Rotkäppchen, tranken den Wein und aßen den Kuchen und waren seelenvergnügt, und die Großmutter wurde wieder frisch und gesund, und Rotkäppchen ging mit ihrem leeren Körbchen nach Hause und dachte: du willst niemals wieder vom Wege ab und in den Wald gehen, wenn es dir die Mutter verboten hat.

Der alte Zauberer und seine Kinder

s lebte einmal ein böser Zauberer, der hatte vorlängst zwei zarte Kinder geraubt, einen Knaben und ein Mägdlein, mit denen er in einer Höhle ganz einsam und einsiedlerisch hauste. Diese Kinder hatte er, Gott sei's geklagt, dem Bösen zugeschworen, und seine schlimme Kunst übte er aus einem Zauberbuche, das er als seinen besten Schatz verwahrte.

Wenn es nun aber geschah, daß der alte Zauberer sich aus seiner Höhle entfernte und die Kinder allein in derselben zurückblieben, so las der Knabe, welcher den Ort erspäht hatte, wohin der Alte das Zauberbuch verbarg, in dem Buche, und lernte daraus gar manchen Spruch und manche Formel der Schwarzkunst, und lernte selbst ganz trefflich zaubern. Weil nun der Alte die Kinder nur selten aus der Höhle ließ, und sie gefangen halten wollte bis zu dem Tage, wo sie dem Bösen zum Opfer fallen sollten, so sehnten sie sich um so mehr von dannen, berieten miteinander, wie sie heimlich entfliehen wollten, und eines Tages, als der Zauberer die Höhle sehr zeitig verlassen hatte, sprach der Knabe zur Schwester: »Jetzt ist es Zeit, Schwesterlein! Der böse Mann, der uns so hart gefangen hält, ist fort, so wollen wir uns jetzt aufmachen und von dannen gehen, soweit uns unsere Füße tragen!« Dies taten die Kinder, gingen fort und wanderten den ganzen Tag.

Als es nun gegen den Nachmittag kam, war der Zauberer nach Hause zurückgekehrt und hatte sogleich die Kinder vermißt. Alsobald schlug er sein Zauberbuch auf und las darin, nach welcher Gegend die Kinder gegangen waren, da hatte er sie wirklich fast eingeholt; die Kinder vernahmen schon seine zornig brüllende Stimme, und die Schwester war voller Angst und Entsetzen und rief: »Bruder, Bruder! Nun sind wir verloren; der böse Mann ist schon ganz nahe!« Da wandte der Knabe seine Zauberkunst an, die er gelernt hatte aus dem Buche; er sprach einen Spruch, und alsbald wurde seine Schwester zu einem Fisch, und er selbst wurde ein großer Teich, in welchem das Fischlein munter herumschwamm.

Wie der Alte an den Teich kam, merkte er wohl, daß er betrogen war, brummte ärgerlich: »Wartet nur, wartet nur, euch fange ich doch!« und lief spornstreichs nach seiner Höhle zurück, Netze zu holen und den Fisch darin zu fangen. Wie er aber von hinnen war, wurden aus dem Teich und Fisch wieder Bruder und Schwester, die bargen sich gut und schliefen aus, und am andern Morgen wanderten sie weiter, und wanderten wieder einen ganzen Tag.

Als der böse Zauberer mit seinen Netzen an die Stelle kam, die er sich wohl gemerkt hatte, war kein Teich mehr zu sehen, sondern es lag eine grüne Wiese da, in der es wohl Frösche, aber keine Fische zu fangen gab; da wurde er noch zorniger wie zuvor, warf seine Netze hin und verfolgte weiter die Spur der Kinder, die ihm nicht entging, denn er trug eine Zaubergerte in der Hand, welche ihm den richtigen Weg zeigte.

Und als es Abend war, hatte er die wandernden Kinder beinahe wieder eingeholt; sie hörten ihn schon schnauben und brüllen, und die Schwester rief wieder: »Bruder, lieber Bruder! Jetzt sind wir verloren, der böse Feind ist dicht hinter uns!«

Da sprach der Knabe wiederum einen Zauberspruch, den er aus dem Buche gelernt, und da ward aus ihm eine Kapelle am Weg, und aus dem Mägdlein ein schönes Altarbild in der Kapelle.

Wie nun der Zauberer an die Kapelle kam, merkte er wohl, daß er abermals geäfft war, und lief fürchterlich brüllend um dieselbe herum; er durfte sie aber nicht betreten, weil das immer im Pakt der Zauberer mit dem Bösen stand, daß sie niemals eine Kirche oder eine Kapelle betreten durften.

»Darf ich dich auch nicht betreten, so will ich dich doch mit Feuer anstoßen und auch zu Asche brennen!« schrie der Zauberer und rannte fort, sich aus seiner Höhle Feuer zu holen.

Während er nun fast die ganze Nacht hindurch rannte, wurden aus der Kapelle und dem schönen Altarbild wieder Bruder und Schwester; sie bargen sich und schliefen, und am dritten Morgen wanderten sie weiter und wanderten den ganzen Tag, während der Zauberer, der einen weiten Weg hatte, ihnen aufs neue nachsetzte. Als er mit seinem Feuer dahin kam, wo die Kapelle gestanden, stieß er mit der Nase an einen großen Steinfelsen, der sich nicht mit Feuer anstoßen und zu Asche verbrennen ließ, und dann rannte er mit wütenden Sprüngen auf der Spur der Kinder weiter fort.

Gegen Abend war er ihnen nun ganz nahe, und zum drittenmal zagte die Schwester und gab sich verloren; aber der Knabe sprach wieder einen Zauberspruch, den er aus dem Buche gelernt, da ward er eine harte Tenne, darauf die Leute dreschen, und sein Schwesterlein war in ein Körnlein verwandelt, das wie verloren auf der Tenne lag.

Als der böse Zauberer herankam, sah er wohl, daß er zum drittenmal geäfft war, besann sich aber diesmal nicht lange, lief auch nicht erst wieder nach Hause, sondern sprach auch einen Spruch, den er aus dem Zauberbuche gelernt hatte; da ward er in einen schwarzen Hahn verwandelt, der schnell auf das Gersten-korn zulief, um es aufzupicken; aber der Knabe sprach noch einmal einen Zauberspruch, den er aus dem Buche gelernt, da wurde er schnell ein Fuchs, packte den schwarzen Hahn, ehe er noch das Gerstenkorn aufgepickt hatte, und biß ihm den Kopf ab, da hatte der Zauberer, wie dies Märlein, gleich ein Ende.

53

Die Goldmaria und die Pechmaria

s war einmal eine Witwe, die hatte zwei Töchter, eine rechte Tochter und eine Stieftochter; beide hießen Maria. Die rechte Tochter war nicht gut und fromm, dagegen war die Stieftochter ein bescheidenes, sittiges Mädchen, das aber gar viele Kränkungen und Zurücksetzungen von Mutter und Schwester erdulden mußte. Doch sie war stets freundlich, tat die Küchenarbeiten unverdrossen und weinte nur manchmal heimlich in ihrem Schlafkämmerlein, wenn sie von Mutter und Schwester so viel Unbilliges zu leiden hatte. Aber bald war sie dann allemal wieder heiter und frischen Mutes und sprach zu sich selbst: »Sei ruhig, der liebe Gott wird dir schon helfen.« Dann tat sie fleißig ihre Arbeit und machte alles nett und sauber. Ihrer Mutter arbeitete sie immer nicht genug; eines Tages sagte diese sogar: »Maria, ich kann dich nicht länger zu Hause behalten, du arbeitest wenig und issest viel, und deine Mutter hat dir kein Vermögen hinterlassen, auch dein Vater nicht, es ist alles mein, und ich kann und mag dich nicht länger ernähren, daher du ausgehen mußt, dir einen Dienst bei einer Herrschaft zu suchen.« Und sie buk von Asche und Milch einen Kuchen, füllte ein Krüglein mit Wasser, gab beides der armen Maria und schickte sie aus dem Hause.

Maria war sehr betrübt ob dieser Härte; doch schritt sie mutig durch die Felder und Wiesen und dachte: es wird dich schon jemand als Magd aufnehmen, und vielleicht sind fremde Menschen gütiger als die eigene Mutter. Als sie Hunger fühlte, setzte sie sich ins Gras nieder, zog ihren Aschenkuchen hervor und trank aus ihrem Krüglein, und viele Vöglein flatterten herbei, pickten an ihrem Kuchen, und sie goß Wasser in ihre Hand und ließ die munteren Vöglein trinken. Und da verwandelte sich unvermerkt ihr Aschenkuchen in eine Torte, ihr Wasser in köstlichen Wein. Gestärkt und freudig zog die arme Maria weiter und kam, als es dunkel wurde, an ein seltsam gebautes Haus, davor waren zwei Tore, eins sah pechschwarz aus, das andere glänzte von purem Gold. Bescheiden ging Maria durch das minder schöne Tor in den Hof und klopfte an die Haustüre. Ein Mann von schreckbar wildem Ansehen tat die Türe auf und fragte barsch nach ihrem Begehren. Sie sprach zitternd: »Ich wollte nur fragen, ob Ihr nicht so gütig sein möchtet, mich über Nacht zu beherbergen?« Und der Mann brummte: »Komm herein!« Sie folgte ihm und bebte noch mehr zusammen, als sie drinnen im Zimmer nichts weiter sah und hörte als Hunde und Katzen und deren abscheuliches Geheul. Es war außer dem wilden Thürschemann (so hieß dieser Mensch) niemand weiter in dem ganzen Hause.

Nun brummte der Thürschemann der Maria zu: »Bei wem willst du schlafen, bei mir oder bei Hunden und Katzen?« Maria sprach: »Bei Hunden und Katzen.« Da mußte sie aber gerade neben ihm schlafen, und er gab ihr ein schönes weiches Bett, daß Maria ganz herrlich und ruhig schlief. Am Morgen brummte Thürschemann: »Mit wem willst du frühstücken, mit mir oder mit Hunden und Katzen?« Sie sprach: »Mit Hunden und Katzen.« Da mußte sie mit ihm trinken, Kaffee und süßen Rahm. Wie Maria fortgehen wollte, brummte Thürschemann abermals: »Zu welchem Tor willst du hinaus, zum Goldtor oder zum Pechtor?« Und sie sprach: »Zum Pechtor.« Da mußte sie durchs goldene gehen, und wie sie durchging, saß Thürschemann oben darauf und schüttelte so derb, daß das Tor erzitterte und daß Maria ganz von Gold überdeckt war, das von dem Goldtore auf sie herabfiel.

Nun ging sie wieder heim, und ins elterliche Haus eintretend, kamen ihre Hühner, die sie sonst immer gefüttert, ihr freudig entgegengeflogen und -gelaufen, und der Hahn schrie: »Kikiriki, da kommt die Goldmarie! Kikiriki!« Und ihre Mutter kam die Treppe herunter und knickste so ehrfurchtsvoll vor der goldenen Dame, als wenn es eine Prinzessin wäre, die ihr die Ehre ihres

Besuches schenkte. Aber Maria sprach: »Liebe Mutter, kennst du mich denn nicht mehr? Ich bin ja die Maria.«

Jetzt kam auch die Schwester ganz erstaunt und verwundert, wie die Mutter, und beide voll Neides, und Maria mußte erzählen, wie wunderbar es ihr ergangen, und wie sie zu dem Golde gekommen war.

Nun nahm sie ihre Mutter wohl auf und hielt sie auch besser wie zuvor, und Maria wurde von jedermann geehrt und geliebt; bald fand sich auch ein braver junger Mann, der Marien als Gattin heimführte und glücklich mit ihr lebte.

Der andern Maria aber wuchs der Neid im Herzen, und sie beschloß, auch fortzugehen und übergoldet wiederzukommen. Ihre Mutter gab ihr süßen Kuchen und Wein mit auf die Reise, und wie Maria davon aß und Vöglein geflogen kamen, um auch mit ihr zu schmausen, jagte sie dieselben ärgerlich fort. Ihr Kuchen aber verwandelte sich unvermerkt in Asche, und ihr Wein in mattes Wasser. Am Abend kam Maria ebenfalls an Thürsche-manns Tore; sie ging stolz zu dem goldenen hinein und klopfte dann an die Haustüre. Wie Thürschemann auftat und nach ihrem Begehren fragte, sagte sie schnippisch: »Nun, ich will hier über-nachten.« Und er brummte: »Komm herein!« Dann fragte er auch sie: »Bei wem willst du schlafen, bei mir oder bei Hunden und Katzen?« Sie sagte schnell: »Bei Euch, Herr Thürschemann!« Aber er führte sie in die Stube, wo Hunde und Katzen schliefen, und schloß sie hinein.

Am Morgen war Mariens Angesicht häßlich zerkratzt und zerbissen. Thürschemann brummte wieder: »Mit wem willst du Kaffee trinken, mit mir oder mit Hunden und Katzen?« »Ei, mit Euch«, sagte sie und mußte nun gerade wieder mit Katzen und Hunden trinken. Nun wollte sie fort. Thürschemann brummte abermals: »Zu welchem Tor willst du hinaus, zum Goldtor oder zum Pechtor?« Und sie sagte: »Zum Goldtor, das versteht sich!« Aber dieses wurde sogleich verschlossen, und sie mußte zum Pechtor hinaus, und Thürschemann saß oben drauf, rüttelte und

schüttelte, daß das Tor wackelte, und da fiel so viel Pech auf Marien herunter, daß sie über und über voll wurde.

Als nun Maria voll Wut ob ihres häßlichen Ansehens nach Hause kam, krähte der Gluckhahn ihr entgegen: »Kikiriki, da kommt die Pechmarie! Kikiriki!« Und ihre Mutter wandte sich voll Abscheu von ihr und konnte nun ihre häßliche Tochter nicht vor den Leuten sehen lassen, die hart gestraft blieb, darum, daß sie so auf Gold erpicht gewesen.

Gevatter Tod

s lebte einmal ein sehr armer Mann, hieß Klaus, dem hatte Gott eine Fülle Reichtum beschert, der ihm große Sorge machte, nämlich zwölf Kinder, und über ein Kleines, so kam noch ein Kleines, das war das dreizehnte Kind. Da wußte der arme Mann seiner Sorge keinen Rat, wo er doch einen Paten hernehmen sollte, denn seine ganze Sipp- und Magschaft hatte ihm schon Kinder aus der Taufe gehoben, und er durfte nicht hoffen, noch unter seinen Freunden eine mitleidige Seele zu finden, die ihm sein jüngstgeborenes Kindlein hebe. Gedachte also an den ersten besten wildfremden Menschen sich zu wenden, zumal manche seiner Bekannten ihn in ähnlichen Fällen schon mit vieler Hartherzigkeit abschläglich beschieden hatten.

Der arme Kindesvater ging also auf die Landstraße hinaus, willens, dem ersten ihm Begegnenden die Patenstelle seines Kindleins anzutragen. Und siehe, ihm begegnete bald ein gar freundlicher Mann, stattlichen Aussehens, wohlgestaltet, nicht alt, nicht jung, mild und gütig von Angesicht, und da kam es dem Armen vor, als neigten sich vor jenem Manne die Bäume und Blümlein und alle Gras- und Getreidehalme. Da dünkte dem Klaus, das müsse der liebe Gott sein, nahm seine schlechte Mütze ab, faltete die Hände und betete ein Vaterunser. Und es war auch der liebe Gott, der wußte, was Klaus wollte, ehe er noch bat, und sprach: »Du suchst einen Paten für dein Kindlein! Wohlan, ich will es dir heben, ich, der liebe Gott!«

»Du bist allzu gütig, lieber Gott!« antwortete Klaus verzagt. »Aber ich danke dir; du gibst denen, welche haben, einem Güter, dem andern Kinder, so fehlt es oft beiden am besten, und der Reiche schwelgt, der Arme hungert!« Auf diese Rede wandte sich der Herr und ward nicht mehr gesehen. Klaus ging weiter, und wie er eine Strecke gegangen war, kam ein Kerl auf ihn zu, der sah nicht nur aus wie der Teufel, sondern war's auch, und fragte Klaus, wen er suche? – Er suche einen Paten für sein Kindlein. – »Ei, da nimm mich, ich mach' es reich!« – »Wer bist du?« fragte Klaus. »Ich bin der Teufel!« – »Das wär' der Teufel!« rief Klaus, und maß den Mann vom Horn bis zum Pferdefuß. Dann sagte er: »Mit Verlaub, geh' heim zu dir und zu deiner Großmutter; dich mag ich nicht zum Gevatter, du bist der Allerböseste! Gott sei bei uns!«

Da drehte sich der Teufel herum, zeigte dem Klaus eine abscheuliche Fratze, füllte die Luft mit Schwefelgestank und fuhr von dannen. Hierauf begegnete dem Kindesvater abermals ein Mann, der war spindeldürr, wie eine Hopfenstange, so dürr, daß er klapperte; der fragte auch: »Wen suchst du?« und bot sich zum Paten des Kindes an. »Wer bist du?« fragte Klaus. »Ich bin der Tod!« sprach jener mit ganz heiserer Stimme. Da war der Klaus zum Tod erschrocken, doch faßte er sich Mut, dachte: bei dem wär' mein dreizehntes Söhnlein am besten aufgehoben, und sprach: »Du bist der Rechte! Arm oder reich, du machst es gleich. Topp! Du sollst mein Gevattersmann sein! Stell' dich nur ein zu rechter Zeit, am Sonntag soll die Taufe sein.«

Und am Sonntag kam richtig der Tod, und ward ein ordentlicher Dot, das ist Taufpat des Kleinen, und der Junge wuchs und gedieh ganz fröhlich. Als er nun zu den Jahren gekommen war, wo der Mensch etwas erlernen muß, daß er künftighin sein Brot erwerbe, kam zu der Zeit der Pate und hieß ihn mit sich gehen in einen finstern Wald. Da standen allerlei Kräuter, und der Tod sprach: »Jetzt, mein Pat, sollst du dein Patengeschenk von mir empfangen. Du sollst ein Doktor über alle Doktoren werden durch das rechte wahre Heilkraut, das ich dir jetzt in die Hand gebe. Doch merke, was ich dir sage. Wenn man dich zu einem Kranken beruft, so wirst du meine Gestalt jedesmal erblicken. Stehe ich zu Häupten des Kranken, so darfst du versichern, daß du ihn gesund machen wollest und ihm von dem Kraute eingeben; wenn er aber Erde kauen muß, so stehe ich zu des Kranken Füßen;

59

dann sage nur: Hier kann kein Arzt der Welt helfen und auch ich nicht. Und brauche ja nicht das Heilkraut gegen meinen mächtigen Willen, so würde es dir übel ergehen!«

Damit ging der Tod von hinnen und der junge Mensch auf die Wanderung, und es dauerte gar nicht lange, so ging der Ruf vor ihm her und der Ruhm, dieser sei der größte Arzt auf Erden, denn er sahe es gleich den Kranken an, ob sie leben oder sterben würden. Und so war es auch. Wenn dieser Arzt den Tod zu des Kranken Füßen erblickte, so seufzte er und sprach ein Gebet für die Seele des Abscheidenden; erblickte er aber des Todes Gestalt zu Häupten, so gab er ihm einige Tropfen, die er aus dem Heilkraut preßte, und die Kranken genasen. Da mehrte sich sein Ruhm von Tag zu Tag.

Nun geschah es, daß der Wunderarzt in ein Land kam, dessen König schwer erkrankt darniederlag, und die Hofärzte gaben keine Hoffnung mehr seines Aufkommens. Weil aber die Könige am wenigsten gern sterben, so hoffte der alte König noch ein Wunder zu erleben, nämlich, daß der Wunderdoktor ihn gesund mache, ließ diesen berufen und versprach ihm den höchsten Lohn. Der König hatte aber eine Tochter, die war so schön und so gut wie ein Engel.

Als der Arzt in das Gemach des Königs kam, sah er zwei Gestalten an dessen Lager stehen, zu Häupten die schöne weinende Königstochter und zu Füßen den kalten Tod. Und die Königstochter flehte ihn so rührend an, den geliebten Vater zu retten, aber die Gestalt des finstern Paten wich und wankte nicht. Da sann der Doktor auf eine List. Er ließ von raschen Dienern das Bett des Königs schnell umdrehen und gab ihm geschwind einen Tropfen vom Heilkraut, also daß der Tod betrogen war und der König gerettet. Der Tod wich erzürnt von hinnen, erhob aber drohend den langen knöchernen Zeigefinger gegen seinen Paten.

Dieser war in Liebe entbrannt gegen die reizende Königstochter, und sie schenkte ihm ihr Herz aus inniger Dankbarkeit. Aber bald darauf erkrankte sie schwer und heftig, und der König, der sie

über alles liebte, ließ bekannt machen, welcher Arzt sie gesund mache, der solle ihr Gemahl und hernach König werden. Da flammte eine hohe Hoffnung durch des Jünglings Herz, und er eilte zu der Kranken – aber zu ihren Füßen stand der Tod. Vergebens warf der Arzt seinem Paten flehende Blicke zu, daß er seine Stelle verändern und ein wenig weiter hinauf, womöglich bis zu Häupten der Kranken treten möge. Der Tod wich nicht von der Stelle, und die Kranke schien im Verscheiden, doch sah sie den Jüngling um ihr Leben flehend an. Da übte des Todes Pate noch einmal seine List, ließ das Lager der Königstochter schnell umdre-

61

hen und gab ihr geschwind einige Tropfen vom Heilkraut, so daß sie wieder auflebte und den Geliebten dankbar anlächelte. Aber der Tod warf seinen tödlichen Haß auf den Jüngling, faßte ihn an mit eiserner eiskalter Hand und führte ihn von dannen, in eine weite unterirdische Höhle. In der Höhle da brannten viele tausend Kerzen, große und halbgroße und kleine und ganz kleine; viele verloschen und andere entzündeten sich, und der Tod sprach zu seinem Paten: »Siehe, hier brennt eines jeden Menschen Lebenslicht; die großen sind den Kindern, die halbgroßen sind den Leuten, die in den besten Jahren stehen, die kleinen den Alten und Greisen, aber auch Kinder und Junge haben oft nur ein kleines, bald verlöschendes Lebenslicht.«

»Zeige mir doch das meine!« bat der Arzt den Tod. Da zeigte dieser auf ein ganz kleines Stümpchen, das bald zu erlöschen drohte. »Ach, liebster Pate!« bat der Jüngling, »wolle mir es doch erneuen, damit ich meine schöne Braut, die Königstochter, freien, ihr Gemahl und König werden kann!« – »Das geht nicht«, versetzte kalt der Tod. »Erst muß eins ganz ausbrennen, ehe ein neues auf- und angesteckt wird.«

»So setze doch gleich das alte auf ein neues!« sprach der Arzt – und der Tod sprach: »Ich will so tun!« Nahm ein langes Licht, tat, als wollte er es aufstecken, versah es aber absichtlich und stieß das kleine um, daß es erlosch. In demselben Augenblick sank der Arzt um und war tot.

Wider den Tod kein Kraut gewachsen ist.

Hirsedieb

n einer Stadt wohnte ein sehr reicher Kaufmann, der hatte am Haus einen großen und
prächtigen Garten, in dem auch ein Stück
Land mit Hirse besät war. Da nun dieser
Kaufmann einmal in seinem Garten herum-
spazierte – es war zur Frühjahrszeit, und der
Same stand frisch und kräftig –, so sah er zu
seinem größten Ärger und Verdruß, daß verwichene Nacht von
frecher Diebeshand ein Teil von seinem Hirsesamen abgegrast
worden war, und gerade dieses Gartenäckerlein, darauf er alle Jahre
Hirse hinsäte, war ihm ganz besonders lieb, wie manchmal die
Menschen eine ausschließliche Vorliebe für eine Sache haben. Er
beschloß, den Dieb zu fangen und dann nachdrücklich zu strafen
oder dem Gericht zu übergeben. Daher er seine drei Söhne, Michel,
Georg und Johannes, zu sich rief und sprach: »Heute nacht war ein
Dieb in unserm Garten und hat mir einen Teil Hirsesamen
abgegrast, was mich höchlich ärgert. Dieser Frevler muß gefangen
werden und soll mir büßen! Ihr, meine Söhne, mögt nun wachen die
Nächte hindurch, einer um den andern, und wer den Dieb fängt,
soll von mir eine stattliche Belohnung bekommen.«

Der Älteste, Michel, wachte die erste Nacht; er nahm sich
etliche geladene Pistolen und einen scharfen Säbel, auch zu essen
und zu trinken mit, hüllte sich in einen warmen Mantel und setzte
sich hinter einen blühenden Holunderbusch, hinter dem er bald
hart und fest einschlief. Wie er am hellen Morgen erwachte, war
ein noch größeres Stück Hirsesamen abgegrast als in voriger
Nacht. Und wie nun der Kaufmann in den Garten kam und das
sahe und merkte, daß sein Sohn, anstatt zu wachen und den Dieb
zu fangen, geschlafen hatte, ward er noch ärgerlicher und schalt
und höhnte ihn als einen braven Wächter, der ihm samt seinen
Pistolen und Säbel selbst gestohlen werden könne!

Die andre Nacht wachte Georg; dieser nahm sich nebst den Waffen, die sein Bruder vorige Nacht bei sich geführt, auch noch einen Knittel und starke Stricke mit. Aber der gute Wächter Georg schlief ebenfalls ein, und fand am Morgen, daß der Hirsedieb wieder tüchtig gegraset hatte. Der Vater ward ganz wild und sagte: »Wenn der dritte Wächter ausgeschlafen hat, wird die Hirsesaat vollends zum Kuckuck sein, und es wird dann keines Wächters mehr bedürfen!«

Die dritte Nacht kam nun an Johannes die Reihe. Dieser nahm trotz allem Zureden keine Waffen mit; doch hatte er sich im geheimen mit recht probaten Waffen gegen den Schlaf versehen; er hatte sich Disteln und Dornen gesucht, und diese, als er sich abends in den Garten an seinen Wächterplatz verfügt, vor sich aufgebaut. Wenn er nun einnicken wollte, stieß er allemal mit der Nase an die Stacheln und wurde gleich wieder munter. Als die Mitternacht herbeikam, hörte er ein Getrappel, es kam näher und näher, machte sich in den Hirsesamen, und, da hörte Johannes ein recht fleißiges Abraufen. Halt, dachte er, da hab' ich dich! Und er zog einen Strick aus der Tasche, schob leise die Dornen zurück und schlich dem Dieb vorsichtig näher. Als er hinzukam – wer hätte das vermutet? – war der Dieb ein allerliebstes kleines Pferdchen. Johannes war innerlich erfreut; hatte auch mit dem Einfangen gar keine Mühe; das Tierchen folgte ihm willig zum Stall, den Johannes fest verschloß. Und nun konnte er noch ganz gemach in seinem Bette ausschlafen. Früh, als seine Brüder aufstiegen und hinunter in den Garten gehen wollten, sahen sie mit Staunen, daß Johannes in seinem Bette lag und schlief. Da weckten sie ihn, und höhnten ihn mit allerlei Neckreden, daß er der beste Wächter sei, da er sogar nicht einmal die Nacht ausgehalten habe auf seiner Wache. Aber Johannes sagte: »Seid ihr nur ganz stille, ich will euch den Hirsedieb schon zeigen.« Und sein Vater und seine Brüder mußten ihm zum Stalle folgen, wo das wunderseltsame Pferdlein stand, von dem niemand zu sagen wußte, woher es gekommen und wem es zugehöre. Es war

allerliebst anzusehen, von zartem und schlankem Bau und dazu ganz silberweiß. Da hatte der Kaufmann eine große Freude und schenkte seinem wackern Johannes das Pferdchen als Belohnung, der nahm es freudig an und nannte es Hirsedieb.

Bald vernahmen die Brüder, daß eine schöne Prinzessin verzaubert wäre im Schloß, das auf dem gläsernen Berge stehe, zu welchem niemand wegen der großen Glätte emporklimmen könne. Wer aber glücklich hinauf und dreimal um das Schloß herumreite, der erlöse die schöne Prinzessin und bekomme sie zur Gemahlin. Gar unendlich viele hätten schon den Bergritt probiert, wären aber alle wieder herabgestürzt und lägen tot umher.

Diese Wundermär erscholl durchs ganze Land, und auch die drei Brüder bekamen Lust, ihr Glück zu versuchen, nach dem gläsernen Berg zu reiten und womöglich die schöne Prinzessin zu gewinnen. Michel und Georg kauften sich junge, starke Pferde, deren Hufeisen sie tüchtig schärfen ließen, und Johannes sattelte seinen kleinen Hirsedieb, und so ging es aus zum Glücksritt. Bald erreichten sie den gläsernen Berg, der Älteste ritt zuerst, aber ach – sein Roß glitt aus, stürzte mit ihm nieder und beide, Roß und Mann, vergaßen das Wiederaufstehen. Der zweite ritt, aber ach – sein Roß glitt aus, stürzte mit ihm nieder und beide, Mann und Roß, vergaßen auch das Aufstehen. Nun ritt Johannes, und es ging trapp, trapp, trapp, trapp, trapp – droben waren sie, und wieder trapp, trapp, trapp, trapp, trapp und sie waren dreimal ums Schloß herum, als wenn Hirsedieb schon hundertmal diesen gefährlichen Weg gelaufen wäre. Nun standen sie vor der Schloßtüre; diese ging auf, und es trat die reizendschöne Prinzessin heraus; sie war ganz in Seide und Gold gekleidet und breitete freudig die Arme gegen Johannes aus. Und derselbe stieg schnell vom Pferdlein und eilte, die holde Prinzessin und somit sein ganzes überaus großes Glück zu umfangen.

Und die Prinzessin wandte sich zum Pferdlein, liebkoste dasselbe und sprach: »Ei, du kleiner Schelm, warum warst du mir denn entlaufen, daß ich nicht mehr die einzige Nachtstunde, die mir vergönnet war, unten auf der grünen Erde zu weilen, genießen konnte, da du mich nicht mehr den gläsernen Berg hinunter und wieder herauftrugst? Nun darfst du uns nimmermehr verlassen.« – Und da ward Johannes gewahr, daß sein Hirsediebchen das Zauberpferdlein seiner himmelschönen Prinzessin war. Seine Brüder kamen wieder auf von ihrem Fall, Johannes aber sahen sie nicht wieder, denn er lebte glücklich und allen Erdensorgen entrückt mit seinem Engel im Zauberschloß auf dem gläsernen Berge, aber auch zu diesem Berge fand kein Menschenkind mehr den Weg, weil der Zauber gelöst und die Prinzessin von ihrem Bann befreit worden war durch ihr kluges Rößlein, das den rechten Befreier und Gemahl ihr zugetragen.

Das Nußzweiglein

s war einmal ein reicher Kaufmann, der mußte in seinen Geschäften in fremde Länder reisen. Da er nun Abschied nahm, sprach er zu seinen drei Töchtern: »Liebe Töchter, ich möchte euch gerne bei meiner Rückkehr eine Freude bereiten, sagt mir daher, was ich euch mitbringen soll?« Die Älteste sprach: »Lieber Vater, mir eine schöne Perlenhalskette!« Die andere sprach: »Ich wünsche mir einen Fingerring mit einem Demantstein.« Die Jüngste schmiegte sich an des Vaters Herz und flüsterte: »Mir ein schönes, grünes Nußzweiglein, Väterchen.«

»Gut, meine lieben Töchter!« sprach der Kaufmann, »ich will mir's aufmerken und dann lebet wohl.«

Weit fort reisete der Kaufmann und machte große Einkäufe, gedachte aber auch treulich der Wünsche seiner Töchter. Eine kostbare Perlenhalskette hatte er bereits in seinen Reisekoffer gepackt, um seine Älteste damit zu erfreuen, und einen gleich wertvollen Demantring hatte er für die mittlere Tochter einge-kauft. Einen grünen Nußzweig aber konnte er nirgends gewahren, wie er sich auch darum bemühte. Auf der Heimreise ging er deshalb große Strecken zu Fuß und hoffte, da sein Weg ihn vielfach durch Wälder führte, endlich einen Nußbaum anzutref-fen; doch dies war lange vergeblich, und der gute Vater fing an betrübt zu werden, daß er die harmlose Bitte seines jüngsten und liebsten Kindes nicht zu erfüllen vermochte.

Endlich, als er so betrübt seines Weges dahinzog, der ihn just durch einen dunkeln Wald und an dichtem Gebüsch vorüber-führte, stieß er mit seinem Hut an einen Zweig, und es raschelte, als fielen Schlossen darauf; wie er aufsah, war's ein schöner, grüner Nußzweig, daran eine Traube goldener Nüsse hing. Da war der Mann sehr erfreut, langte mit der Hand empor und brach den

herrlichen Zweig ab. Aber in demselben Augenblicke schoß ein wilder Bär aus dem Dickicht und stellte sich grimmig brummend auf die Hintertatzen, als wollte er den Kaufmann gleich zerreißen. Und mit furchtbarer Stimme brüllte er: »Warum hast du meinen Nußzweig abgebrochen, du? Warum? Ich werde dich auffressen.« Bebend vor Schreck und zitternd sprach der Kaufmann: »O lieber Bär, friß mich nicht und laß mich mit dem Nußzweiglein meines Weges ziehen, ich will dir auch einen großen Schinken und viele Würste dafür geben!« Aber der Bär brüllte wieder: »Behalte deinen Schinken und deine Würste! Nur wenn du mir versprichst, mir dasjenige zu geben, was dir zu Hause am ersten begegnet, so will ich dich nicht fressen.« Dies ging der Kaufmann gerne ein, denn er gedachte, wie sein Pudel gewöhnlich ihm entgegenlaufe, und diesen wolle er, um sich das Leben zu retten, gerne opfern. Nach derbem Handschlag tappte der Bär ruhig ins Dickicht zurück; und der Kaufmann schritt, aufatmend, rasch und fröhlich von dannen.

Der goldene Nußzweig prangte herrlich am Hut des Kaufmanns, als er seiner Heimat zueilte. Freudig hüpfte das jüngste Mägdlein ihrem lieben Vater entgegen; mit tollen Sprüngen kam der Pudel hinter drein, und die ältesten Töchter und die Mutter schritten etwas weniger schnell aus der Haustüre, um den Ankommenden zu begrüßen.

Wie erschrak nun der Kaufmann, als seine jüngste Tochter die erste war, die ihm entgegenflog! Bekümmert und betrübt entzog er sich der Umarmung des glücklichen Kindes und teilte nach den ersten Grüßen den Seinigen mit, was ihm mit dem Nußzweig widerfahren.

Da weinten nun alle und wurden betrübt, doch zeigte die jüngste Tochter den meisten Mut und nahm sich vor, des Vaters Versprechen zu erfüllen. Auch ersann die Mutter bald einen guten Rat und sprach: »Ängstigen wir uns nicht, meine Lieben, sollte ja der Bär kommen und dich, mein lieber Mann, an dein Versprechen erinnern, so geben wir ihm, anstatt unsrer Jüngsten, die Hirtentochter, mit dieser wird er auch zufrieden sein.« Dieser Vorschlag galt, und die Töchter waren wieder fröhlich und freuten sich recht über diese schönen Geschenke. Die Jüngste trug ihren Nußzweig immer bei sich; sie gedachte bald gar nicht mehr an den Bären und an das Versprechen ihres Vaters.

Aber eines Tages rasselte ein dunkler Wagen durch die Straße vor das Haus des Kaufmanns, und der häßliche Bär stieg heraus und trat brummend in das Haus und vor den erschrockenen Mann, die Erfüllung seines Versprechens begehrend. Schnell und heimlich wurde die Hirtentochter, die sehr häßlich war, herbeigeholt, schön geputzt und in den Wagen des Bären gesetzt. Und die Reise ging fort. Draußen legte der Bär sein wildes zotteliches Haupt auf den Schoß der Hirtin und brummte:

>»Graue mich, grabble mich,
>Hinter den Ohren zart und fein,
>Oder ich fress' dich mit Haut und Bein!«

Und das Mädchen fing an zu grabbeln; aber sie machte es dem Bären nicht recht, und er merkte, daß er betrogen wurde; da wollte er die geputzte Hirtin fressen, doch diese sprang rasch in ihrer Todesangst aus dem Wagen.

Darauf fuhr der Bär abermals vor das Haus des Kaufmanns und forderte furchtbar drohend die rechte Braut. So mußte denn das liebliche Mägdlein herbei, um nach schwerem bitterem Abschied mit dem häßlichen Bräutigam fortzufahren. Draußen brummte er wieder, seinen rauhen Kopf auf des Mädchens Schoß legend:

> »Graue mich, grabble mich,
> Hinter den Ohren zart und fein,
> Oder ich fress' dich mit Haut und Bein!«

Und das Mädchen grabbelte, und so sanft, daß es ihm behagte und daß sein furchtbarer Bärenblick freundlich wurde, so daß allmählich die arme Bärenbraut einiges Vertrauen zu ihm gewann. Die Reise dauerte nicht gar lange, denn der Wagen fuhr ungeheuer schnell, als brause ein Sturmwind durch die Luft. Bald kamen sie in einen sehr dunkeln Wald, und dort hielt plötzlich der Wagen vor einer finstergähnenden Höhle. Diese war die Wohnung des Bären. O wie zitterte das Mädchen! Und zumal da der Bär sie mit seinen furchtbaren Klauenarmen umschlang und zu ihr freundlich brummend sprach: »Hier sollst du wohnen, Bräutchen, und glücklich sein, so du drinnen dich brav benimmst, daß mein wildes Getier dich nicht zerreißt.« Und er schloß, als beide in der dunkeln Höhle einige Schritte getan, eine eiserne Türe auf und trat mit der Braut in ein Zimmer, das voll von giftigem Gewürm angefüllt war, welches ihnen gierig entgegenzüngelte. Und der Bär brummte seinem Bräutchen ins Ohr:

> »Seh' dich nicht um!
> Nicht rechts, nicht links;
> Gerade zu, so hast du Ruh!«

Da ging auch das Mädchen, ohne sich umzublicken durch das Zimmer, und es regte und bewegte sich so lange kein Wurm. Und so ging es noch durch zehn Zimmer, und das letzte war von den scheußlichsten Kreaturen angefüllt, Drachen und Schlangen, giftgeschwollenen Kröten, Basilisken und Lindwürmern. Und der Bär brummte in jedem Zimmer:

> »Seh' dich nicht um!
> Nicht rechts, nicht links;
> Gerade zu, so hast du Ruh!«

Das Mädchen zitterte und bebte vor Angst und Bangigkeit wie ein Espenlaub, doch blieb sie standhaft, sah sich nicht um, nicht rechts, nicht links. Als sich aber das zwölfte Zimmer öffnete, strahlte beiden ein glänzender Lichtschimmer entgegen, es erschallte drinnen eine liebliche Musik. Ehe sich die Braut nur ein wenig besinnen konnte, noch zitternd vom Schauen des Entsetzlichen, und nun wieder dieser überraschenden Lieblichkeit – tat es einen furchtbaren Donnerschlag, also daß sie dachte, es breche Erde und Himmel zusammen. Aber bald ward es wieder ruhig. Der Wald, die Höhle, die Gifttiere, der Bär – waren verschwunden; ein prächtiges Schloß mit goldgeschmückten Zimmern und schön gekleideter Dienerschaft stand dafür da, und der Bär war ein schöner junger Mann geworden, war der Fürst des herrlichen Schlosses, der nun sein liebes Bräutchen an das Herz drückte und ihr tausendmal dankte, daß sie ihn und seine Diener, das Getier, so liebreich aus seiner Verzauberung erlöset.

Die nun so hohe, reiche Fürstin trug aber noch immer ihren schönen Nußzweig am Busen, der die Eigenschaft hatte, nie zu verwelken, und trug ihn jetzt nur noch um so lieber, da er der Schlüssel ihres holden Glückes geworden. Bald wurden ihre Eltern und ihre Geschwister von diesem freundlichen Geschick benachrichtigt und wurden für immer zu einem herrlichen Wohlleben von dem Bärenfürsten auf das Schloß genommen.

Der Mann ohne Herz

s sind einmal sieben Brüder gewesen, waren arme Waisen, hatten keine Schwester, mußten alles im Hause selbst tun, das gefiel ihnen nicht, wurden Rates untereinander, sie wollten heiraten. Nun gab es aber da, wo sie wohnten, keine Bräute für sie, da sagten die älteren, sie wollten in die Fremde ziehen, sich Bräute suchen und ihr Jüngster sollte das Haus hüten, und dem wollten sie eine recht schöne Braut mitbringen. Das war der Jüngste gar wohl zufrieden und die sechse machten sich fröhlich und wohlgemut auf den Weg. Unterwegs kamen sie an ein kleines Häuschen, das stand ganz einsam in einem Walde, und vor dem Hause stand ein alter, alter Mann, der rief die Brüder an und fragte: »Heda! Ihr jungen Gieke in die Welt! Wohin denn so lustig und so geschwind?«

»Ei, wir wollen uns jeder eine hübsche Braut holen, und unserm jüngsten Bruder daheim auch eine!« antworteten die Brüder.

»O liebe Jungen!« sprach da der Alte, »ich lebe hier so mutterseelenallein, bringt mir doch auch eine Braut mit, aber eine junge, hübsche muß es sein!«

Die Brüder gingen von dannen und dachten: Hm, was will so ein alter, eisgrauer Hozelmann mit einer jungen, hübschen Braut anfangen?

Da nun die Brüder in eine Stadt gekommen waren, so fanden sie dort sieben Schwestern, so jung und so hübsch, als sie sie nur wünschen konnten, die nahmen sie, und die jüngste nahmen sie für ihren Bruder mit.

Der Weg führte sie wieder durch den Wald, und der Alte stand wieder vor seinem Häuschen, als wartete er auf sie, und sagte: »Ei, ihr braven Jungen! Das lob' ich, daß ihr mir so eine junge, hübsche Braut mitgebracht habt!«

73

»Nein«, sagten die Brüder, »die ist nicht für dich, die ist für unsern Bruder zu Hause, dem haben wir sie versprochen!«

»So?« sagte der Alte, »versprochen? Ei, daß dich! Ich will euch auch versprechen!« und nahm ein weißes Stäbchen und murmelte ein paar Zauberworte und rührte die Brüder und die Bräute mit dem Stäbchen an – bis auf die jüngste – da wurden sie alle in graue Steine verwandelt. Die jüngste aber von den Schwestern führte der Mann in das Haus, und das mußte sie nun beschicken und in Ordnung halten, tat das auch gern, aber sie hatte immer Angst, der Alte könne bald sterben und dann werde sie in dem einsamen Häuschen im wilden öden Walde auch so mutterseelenallein sein, wie der Alte zuvor gewesen war. Das sagte sie ihm und er antwortete: »Hab' kein Bangen, fürchte nicht und hoffe nicht, daß ich sterbe. Sieh, ich habe kein Herz in der Brust! Stürbe ich aber dennoch, so findest du über der Türe mein weißes Zauberstäbchen, und rührst du damit an die grauen Steine, so sind deine Schwestern und ihre Freier befreit und du hast Gesellschaft genug.«

»Wo aber in aller Welt hast du denn dein Herz, wenn du es nicht in der Brust hast?« fragte die junge Braut. »Mußt du alles wissen?« fragte der Alte. »Nun, wenn du es eben wissen mußt, in der Bettdecke steckt mein Herz.«

Da nähte und stickte die junge Braut, wenn der Alte fort und seinen Geschäften nachging, in ihrer Einsamkeit gar schöne Blumen auf seine Bettdecke, damit sein Herz eine Freude haben sollte. Der Alte aber lächelte darüber und sagte: »Du gutes Kind, es war ja nur ein Scherz; mein Herz das steckt – das steckt« – »Nun, wo steckt es denn, lieber Vater?« – »Das steckt in der – Stubentür!«

Da hat die junge Frau am andern Tage, als der Alte fort war, die Stubentüre gar schön geschmückt mit bunten Federn und frischen Blumen und hat Kränze daran gehangen. Fragte der Alte, als er heimkam, was das bedeuten solle? Sagte sie: »Das tat ich, um deinem Herzen was zuliebe zu tun.« Da lächelte wieder der Alte und sagte: »Gutes Kind, ganz wo anders, als in der Stubentüre, ist mein Herz.« Da wurde die junge Braut sehr betrübt und sprach: »Ach Vater, so hast du doch ein Herz und kannst sterben, und ich werde dann so allein sein.« Da wiederholte der Alte alles, was er ihr schon zweimal gesagt, und sie drang aufs neue in ihn, ihr zu sagen, wo doch eigentlich sein Herz sei? Da sprach der Alte: »Weit, weit von hier liegt in tiefer Einsamkeit eine große, uralte Kirche, die ist fest verwahrt mit eisernen Türen, um sie ist ein tiefer Wallgraben gezogen, über den führt keine Brücke, und in der Kirche da fliegt ein Vogel wohl ab und auf, der ißt nicht und trinkt nicht und stirbt nicht, und niemand vermag ihn zu fangen, und solange der Vogel lebt, so lange lebe auch ich, denn in dem Vogel ist mein Herz.«

Da wurde die Braut traurig, daß sie dem Herzen ihres Alten nichts zuliebe tun konnte, und die Zeit wurde ihr lang, wenn sie so allein saß, denn der Alte war fast den ganzen Tag auswärts.

Da kam einmal ein junger Wandergesell am Häuschen vorüber, der grüßte sie und sie grüßte ihn und sie gefiel ihm, und er kam näher und sie fragte ihn, wohin er reise, woher er komme. – »Ach!« seufzte der junge Gesell: »Ich bin gar traurig. Ich hatte noch sechs Brüder, die sind von dannen gezogen, sich Bräute zu holen und mir, dem Jüngsten, wollten sie auch eine mitbringen, sind aber nimmer wiedergekommen, und da bin ich nun auch fort vom Hause und will meine Brüder suchen.«

»Ach, lieber Gesell!« rief die Braut, »da brauchst du nicht weiter zu gehen! Erst setze dich und iß und trinke etwas, und dann laß dir erzählen!« Und gab ihm zu essen und zu trinken, und erzählte ihm, wie seine Brüder in die Stadt gekommen, und wie sie ihre Schwestern und sie selbst als Bräute mit sich nach Hause hätten führen wollen, und daß sie für ihn, ihren Gast, bestimmt gewesen, und wie der Alte sie bei sich behalten und die andern in graue Steine verwandelt habe. Das alles erzählte sie ihm aufrichtig und weinte dazu, und auch, daß der Alte kein Herz in der Brust habe und daß es weit, weit weg sei in einer festen Kirche und in einem unsterblichen Vogel. Da sagte der Bräutigam: »Ich will fort, ich will den Vogel suchen, vielleicht hilft mir Gott, daß ich ihn fange.«

– »Ja, das tue, daran wirst du wohl tun, dann werden deine Brüder und meine Schwestern wieder Menschen werden!« Und versteckte den Bräutigam, denn es wurde schon Abend, und als am andern Morgen der Alte wieder fort war, da packte sie dem Wandergesellen viel zu essen und zu trinken ein und gab es ihm mit, und wünschte ihm alles Glück und Gottes Segen auf seine Fahrt.

Als nun der Gesell eine tüchtige Strecke gegangen war, deuchte ihm, es sei wohl Zeit zu frühstücken, packte seine Reisetasche aus, freute sich der vielen Gaben und rief: »Holla! nun wollen wir schmausen! herbei, wer mein Gast sein will!«

Da rief es hinter dem Gesellen: »Muh!« und wie er sich umsah, stand ein großer roter Ochse da und sprach: »Du hast eingeladen, ich möchte wohl dein Gast sein!«

»Sei willkommen und lange zu, so gut ich's habe!«

Da legte sich der Ochse gemächlich an den Boden und ließ sich's schmecken, und leckte sich dann mit der Zunge sein Maul recht schön ab, und als er satt war, sagte er: »Habe du großen Dank, und wenn du einmal jemand brauchst, dir in Not und Gefahr zu helfen, so rufe nur in Gedanken nach mir, deinem Gast.« Und erhob sich und verschwand im Gebüsch. Der Gesell packte seine Tafelreste zusammen und pilgerte weiter; wieder eine tüchtige Strecke, da deuchte ihm nach dem kurzen Schatten, den er warf, es müsse Mittag sein, und seinem Magen deuchte das nämliche. Da setzte er sich an den Boden hin, breitete sein Tafeltuch aus, setzte seine Speisen und Getränke darauf und rief: »Wohlan! Mittagmahlzeit! Jetzt melde sich, was mittafeln will!« Da rauschte es ganz stark in den Büschen und es brach ein wildes Schwein heraus, das grunzte: oui, oui, oui, und sagte: »Es hat hier jemand zum Essen gerufen! Ich weiß nicht, ob du es warst und ob ich gemeint bin?«

»Immerhin, lange nur zu, was da ist!« sprach der Wandersmann, und da aßen sie beide wohlgemut miteinander und es schmeckte beiden gut. Darauf erhob sich das wilde Schwein und sagte: »Habe Dank, bedarfst du mein, so rufe dem Schwein!« Und damit trollte

76

es in die Büsche. Nun wanderte der Gesell gar eine lange Strecke und war schon gar weit gewandert, da wurde es gegen Abend, und er fühlte wieder Hunger und hatte auch noch Vorrat, und da dachte er: wie wär' es mit dem Vespern? Zeit wär' es, dächt' ich; und breitete wieder sein Tuch aus und legte seine Speisen darauf, hatte auch noch etwas zu trinken und rief: »Wer Lust hat, mitzuessen, der soll eingeladen sein. Es ist nicht, als wenn nichts da wäre!« Da rauschte über ihm ein schwerer Flügelschlag und wurde dunkel auf dem Boden, wie vom Schatten einer Wolke, und es ließ sich ein großer Vogel Greif sehen, der rief: »Ich hörte jemand hier unten zur Tafel einladen! Für mich wird wohl nichts abfallen?«

»Warum denn nicht? Lasse dich nieder und nimm vorlieb, viel wird's nicht mehr sein!« rief der Jüngling, und da ließ sich der Vogel Greif nieder und aß zur Genüge, und dann sagte er: »Brauchst du mich, so rufe mich!« hob sich in die Lüfte und verschwand. Ei, dachte der Geselle: der hat's recht eilig; er hätte mir wohl den Weg nach der Kirche zeigen können, denn so finde ich sie wohl nimmer, und raffte seine Sachen zusammen und wollte vor dem Schlafengehen noch ein Stückchen wandern. Und wie er gar nicht lange gegangen war, so sah er mit einem Male die Kirche vor sich liegen und war bald bei ihr, das heißt, am breiten und tiefen Graben, der sie rings ohne Brücke umzog. Da suchte er sich ein hübsches Ruheplätzchen, denn er war müde von dem weiten Weg und schlief, und am andern Morgen da wünschte er sich über den Graben und dachte: Schau, wenn der rote Ochse da wär' und hätte rechten Durst, so könnte der den Graben aussaufen und ich käme trocken hinüber. Kaum war dieser Wunsch getan, so stand der Ochse schon da und begann den Graben auszusaufen. Nun stand der Geselle an der Kirchenmauer, die war gar dick und die Türme waren von Eisen, da dachte er so in seinen Gedanken: ach, wer doch einen Mauerbrecher hätte! Das starke wilde Schwein könnte vielleicht hier eher etwas ausrichten als ich. Und siehe, gleich kam das wilde Schwein dahergerannt und stieß heftig an die Mauer und wühlte mit seinen Hauern einen Stein los, und wie erst einer los war, so wühlte es immer mehr und immer mehr Steine aus der Mauer, bis ein großes, tiefes Loch gewühlt war,

durch das man in die Kirche einsteigen konnte. Da stieg nun der Jüngling hinein und sah den Vogel darin herumfliegen, vermochte aber nicht, ihn zu ergreifen. Da sprach er: »Wenn jetzt der Vogel Greif da wäre, der würde dich schon greifen, dafür ist er ja der Vogel Greif!« Und gleich war der Greif da und gleich griff er den Vogel, in dem des alten Mannes Herz war, und der junge Gesell verwahrte selbigen Vogel sehr gut, der Vogel Greif aber flog davon.

Nun eilte der Jüngling, so sehr er konnte, zur jungen Braut, kam noch vor Abend an und erzählte ihr alles, und sie gab ihm wieder zu essen und zu trinken und hieß ihn unter die Bettstelle kriechen mitsamt seinem Vogel, damit ihn der Alte nicht sähe. Dies tat er alsbald, nachdem er gegessen und getrunken hatte; der Alte kam nach Hause und klagte, daß er sich krank fühle, daß es nicht mehr mit ihm fort wolle – das mache, weil sein Herzvogel gefangen war. Das hörte der Bräutigam unter dem Bette und dachte, der Alte hat dir zwar nichts Böses getan, aber er hat deine Brüder und ihre Bräute verzaubert, und deine Braut hat er für sich behalten, das ist des Bösen nicht zu wenig, und da kneipte er den Vogel, und da wimmerte der Alte: »Ach, es kneipt mich! Ach, der Tod kneipt mich, Kind – ich sterbe!« Und fiel vom Stuhl und war ohnmächtig, und ehe sich's der Jüngling versah, hatte er den Vogel totgekneipt, und da war es aus mit dem Alten. Nun kroch er hervor, und die Braut nahm den weißen Stab, wie sie der Alte gelehrt hatte, und schlug damit an die zwölf grauen Steine, siehe, da wurden sie wieder die sechs Brüder und die sechs Schwestern, das war eine Freude und ein Umarmen und Herzen und Küssen, und der alte Mann war tot und blieb tot, konnt' ihn keine Meisterwurz wieder lebendig machen, wenn sie ihn auch hätten wieder lebendig haben wollen. Da zogen sie alle miteinander fort und hielten Hochzeit miteinander und lebten gut und glücklich miteinander lange Jahre.

Die drei Federn

inem Mann wurde ein Söhnlein geboren, und da der Vater ausging, einen Paten zu suchen, der das Kind aus der Taufe hebe, so fand er einen jungen wunderschönen Knaben, gegen den sein Herz gleich ganz voll Liebe wurde. Und als er ihm nun seine Bitte vortrug, war der schöne Knabe gern bereit, mitzugehen und das Kind zu heben, und hinterließ ein junges weißes Roß als Patengeschenk. Dieser Knabe ist aber niemand anders gewesen, als Jesus Christus, unser Herr.

Der junge Knabe, welcher in der Taufe den Namen Heinrich empfangen hatte, wuchs zu seines Vaters und seiner Mutter Freude, und wie er die Jünglingsjahre erreicht hatte, da hielt es ihn nicht mehr daheim, sondern es zog ihn in die Ferne, nach Taten und Abenteuern. Nahm daher Urlaub von seinen Eltern, setzte sich auf sein gesatteltes Rößlein, das ihm der unbekannte Knabe zum Patengeschenk gegeben, obschon er nicht wußte, wieviel dieses Rößlein wert war, und ritt frisch und fröhlich darauf in die Welt hinein. Da ritt er eines Tages durch einen Wald, und siehe, da lag hart am Wege eine Feder aus dem Rad eines Pfauen, und die Sonne schien auf die Feder, daß ihre bunten Farben in ihrem Glanze prächtig leuchteten. Der junge Knabe hielt sein Rößlein an und wollte absteigen, um die Feder aufzuheben und sie an seinen Hut zu stecken. Da tat das Rößlein sein Maul auf und sprach: »Ach, laß die Feder auf dem Grunde liegen!« Des verwunderte sich der junge Reiter, daß das Rößlein sprechen konnte, und es kam ihm ein Schauer an; blieb im Sattel, stieg nicht ab, hob die Feder nicht auf, ritt weiter. Nach einer Zeit geschah es, daß der Knabe am Ufer eines Bächleins hinritt, siehe, da lag eine bunte, viel schönere Feder auf dem grünen Gras, als jene war, die im Walde gelegen hatte, und des Knaben Herz verlangte nach ihr, seinen

80

Der beherzte Flötenspieler, zu Seite 106

Hut damit zu schmücken; denn dergleichen Pracht von einer Feder hatte er all sein Lebtag noch nicht gesehen. Aber wie er absteigen wollte, sprach das Rößlein abermals: »Ach, laß die Feder auf dem Grunde!« Und wieder verwunderte sich der Knabe über alle Maßen, daß das Rößlein sprach, während es doch sonst nicht redete, folgte auch diesesmal, blieb im Sattel, stieg nicht ab, hob die Feder nicht auf, ritt weiter.

Nun währte es nur eine kleine Zeit, da kam der Knabe an einen hohen Berg, wollte da hinaufreiten, da lag an seinem Fuße im Wiesengrunde wieder eine Feder, das war nach seinem Vermeinen aber die allerschönste in der ganzen weiten Welt, und die mußte er haben. Sie glänzte und funkelte wie lauter blaue und grüne Edelgesteine oder wie die hellen Tautropfen in der Morgensonne.

81

Aber wiederum sprach das Rößlein: »Ach, laß die Feder auf dem Grunde!« Diesesmal vermochte der Jüngling dem Rößlein nicht zu gehorchen und wollte seinen Rat nicht hören, denn es gelüstete ihn allzusehr nach dem lieblichen und stattlichen Schmuck. Er stieg ab, hob die Feder vom Grunde und steckte sie auf seinen Hut. Da sprach das Rößlein: »O weh, das tust du dir zum Schaden. Es wird dich wohl noch reuen!« Weiter sprach es nichts. Wie der Jüngling weiter ritt, so kam er an eine stattliche und wohlgebaute Stadt, da sah er viel geschmückte Bürgersleute, und es kam ihm ein feiner Zug entgegen mit Pfeifern, Paukern und Trompetern und vielen wehenden Fahnen, und das war prächtig anzusehen. Und in dem Zuge gingen Jungfrauen, die streuten Blumen, und die vier schönsten trugen auf einem Kissen eine Königskrone. Und die Ältesten der Stadt reichten die Krone dem Jüngling und sprachen: »Heil dir, du uns von Gott gesandter edler Jüngling! Du sollst unser König sein! Gelobt sei Gott der Herr in alle Ewigkeit!« Und alles Volk schrie: »Heil unserm König!« Der Jüngling wußte nicht, wie ihm geschehen, als er auf seinem Haupt die Königskrone fühlte, kniete nieder und lobte Gott und den Heiland. Hätte er die erste Feder aufgehoben, so wär' er ein Graf geworden; die zweite: ein Herzog, und hätte er die dritte Feder nicht aufgehoben, so hätte er auf dem Bergesgipfel eine vierte gefunden, und das Rößlein hätte dann gesprochen: »Diese Feder nimm vom Grunde.« Dann wär' er ein mächtiger Kaiser geworden über viele Reiche der Welt, und die Sonne wäre nicht untergegangen in seinen Landen. Doch war er auch so zufrieden und ward ein gütiger, weiser, gerechter und frommer König.

Hans im Glücke

s war einmal ein Bauernknabe, der hieß Hans, ein ehrlich Blut, dünkte sich nicht auf den Kopf gefallen und diente treu und ehrlich einem großen, reichen Herrn eine Reihe von Jahren. Zuletzt aber bekam Hans das Heimweh, wollte gern bei seiner Mutter sein und sprach seinen Herrn um den verdienten Lohn an. Der gab Hansen ein Stück Gold, das war so groß wie Hansens Kopf, und Hansens Kopf gehörte nicht zu den dünnen und kleinsten. Der war zufrieden, packte den schweren Goldklumpen in ein Tüchlein und machte sich auf die Spazierhölzer. Das Gehen wurde ihm aber blutsauer, er schwitzte, daß er troff, denn der Goldklumpen war schrecklich schwer, er mochte ihn tragen wie er wollte, auf dem Kopf oder auf den Schultern.

Da trottelte ein Reiter leicht und wohlgemut an Hans vorbei, saß auf einem spiegelglatten Pferd. »Ei!« rief Hans, »Reiten ist eine schöne Kunst, wer sie kann und ein Pferd hat!« Der Reiter hielt sein Rößlein an, weil er Hansens Rede in seine Ohren hineingehört hatte und fragte ihn, womit er sich denn da so mühselig schleppe?

»Ach! es ist Gold, pures schweres Gold! Der Mensch ist ein geplagtes Tier!« sagte Hans, indem er den Klumpen ächzend zur Erde warf.

»Ei!« sprach der Reiter, »wenn du gern reiten willst, so laß uns einen Tausch machen. Gibst mir deinen Lastklumpen und nimmst mein Pferd dafür!«

Das ließ sich Hans nicht zweimal bieten, er rief fröhlich: »Topp! Schlagt ein!« Und der Handel war geschlossen. Der Reiter nahm das Gold und machte, daß er damit Hansen aus dem Gesicht kam, dachte, der Handel könnte jenen reuen. Hans aber kletterte auf den Gaul und ritt davon, daß es stäubte, aber nicht gar lange, da tat das Pferd einen Satz, daß Hans, der nicht reiten konnte, herunterfiel wie ein Nußsack. Konnte kaum ein Glied regen. Ein Bauer, der mit einer Kuh des Weges zog, fing das leidige Pferd und führt's dahin, wo Hans lag. Der weinte und rieb sich die Knochen. »Nimmermehr reiten, tut nicht gut! Wer doch so ein sanftes Kühchen hätte, wie Ihr dort, guter Freund! Da könnte man tagtäglich Milch essen und Butter und Käse und wird nicht heruntergeworfen.«

»Ei«, sagte der pfiffige Bauer, »wenn Euch die Kuh so wohlgefällt, so gefällt mir nun gerade auch Euer mutiges Pferd, geb' Euch die Kuh für das Pferd!«

»Das ist ein guter Tausch, den lob' ich mir«, sprach Hans, nahm die Kuh und trieb sie vor sich her, während der Bauer sich auf das Roß setzte und heidi, hast du nicht gesehen, davonritt.

Als Hans in ein Wirtshaus kam, verzehrte er seine letzten paar Heller, denn er meinte nun, da er die Kuh habe, brauche er kein Geld und marschierte weiter. Es war aber den Tag sehr heiß und noch eine weite Strecke zum Dorfe, wo Hans her war und wo seine Mutter wohnte, und es durstete Hansen. Da schickte er sich an, die Kuh zu melken, aber so ungeschickt, daß keine Milch kam und daß ihm zuletzt die Kuh einen Tritt gab, davon ihm Hören und Sehen verging und er nicht wußte, ob er ein Bub oder ein Mädchen war. Da trieb just ein Metzger des Weges mit einem jungen Schwein, der fragte mitleidvoll den geschlagenen Hans, was ihm fehle und bot ihm einmal aus seiner Flasche zu trinken. Hans erzählte sein Abenteuer, und der Metzger machte ihm bemerklich, daß von einer so alten Kuh keine Milch zu erwarten sei, die müsse man schlachten. »Hm!« meinte Hans, »wird auch keinen sonderlichen Braten geben, altes Kuhfleisch! Ja, wer so ein nettes fettes Schweinchen hätte, das schmeckt und gibt Fetzenwürstel!«

»Guter Freund!« sagte der Metzger, »wenn Euch das Schweinchen so gefällt, so laßt uns einen Tausch treffen, gerade auf, Ihr das Schwein, ich die Kuh! Ist's recht?«

»Ist schon recht!« sagte Hans, von Herzen innerlich froh über sein Glück. Zog heiter seine Straße und dachte: Bist doch ein rechtes Glückskind, Hans! Immer wird der Schaden wieder ersetzt. O wie soll dieser Schweinebraten schmecken!

Bald kam ein Bursche desselben Wegs und holte den Hans ein, der trug eine fette, schwere, weiße Gans im Arm, grüßte Hans, und da sie miteinander ins Gespräch kamen, erzählte er ihm, daß die Gans zu einem Kindtaufsbraten bestimmt sei. Das müßte ein Braten werden, der seinesgleichen suche. Dabei ließ er die Gans den Hans wiegen und unter den Flügeln die Fettklumpen befühlen.

»Die Gans ist gut, mein Schweinchen da ist aber auch kein Hund!« sagte Hans.

»Wo hast du denn das Schwein her?« fragte der Bursche, und Hans erzählte, daß er es vor kurzem erst erhandelt. Da sah sich jener bedenklich um und sprach: »Höre, ein Wort im Vertrauen! Da hinten im letzten Dorfe ist dem Schulzen alleweil ein junges Schwein gestohlen worden. Der Dieb hat's an dich verpascht, und wenn jetzt der Flurschütz uns nachkommt (mich deucht, ich sehe seinen Spieß schon dort über den Kornähren blinken), so faßt er dich für den Dieb und du kommst, statt mit dem Schwein in die Küche deiner Mutter, in des Teufels Küche!«

»Ach du mein lieber Herr Gott! Was bin ich für ein Unglücksvogel!« schrie Hans. »Hilf mir doch um Gottes willen, guter, liebster Freund!«

»Weißt du was«, sprach der Bursche, »geschwind gib mir das Schwein und nimm du meine Gans! Ich weiß hier herum die Schleichwege, und ich will mich schon unsichtbar machen!«

Gesagt, getan, Handel geschlossen, und in zwei Augenblicken waren Bursch und Schwein dem Hans aus den Augen. »Bin doch ein Glücksvogel!« lachte Hans innerlich, und trug die Gans eine gute Strecke. Vom Flurschütz oder sonst einem Nachsetzenden war nichts zu sehen. Hans berechnete den guten Braten, das Fett, die Federn, die Freude seiner Mutter; und so kam er in das letzte Dorf vor dem seinigen. Da stand ein Scherenschleifer, der sah ganz fröhlich aus, schliff und pfiff, und pfiff und schliff, daß es nur so schnurrte, dann sang er einen lustigen Gassenhauer:

> »Es kam ein junger Schleifer her,
> Schliff die Messer und die Scher'!
> Hat's gern getan,
> Tut's noch einmal,
> Was geht's dich an?
> Was hast denn du davon?«

Hans blieb ganz verwundert stehen mit seiner Gans und hatte seine Verwunderung über des Schleifers Lustigkeit, dann bot er ihm guten Tag und fragte: »Euch geht's gewiß recht gut, daß Ihr so lustig und fröhlich seid? Wer's doch auch so hätte!«

»O ja, mein guter Kamerad«, sprach der Scherenschleifer, »bin alldieweil lustig, immer Geld in der Tasche, kannst's auch so haben mit deiner Gans. Woher hast du die Gans?«

»Hab' sie gekriegt für ein Schwein!« berichtete Hans. »Und das Schwein?« – »Für eine Kuh gekriegt!« – »Und die Kuh?« – »Für ein Pferd eingehandelt.« – »Und das Pferd?« – »Einen Klumpen Gold hingegeben, so groß wie mein Kopf.« – »O du Schlaukopf! Und woher das Gold?« – »Sieben Jahre gedient, Lohn bekommen!« – »Pfiffikus, dir fehlt nichts, als daß du ein Schleifer würdest wie ich, dann klingt dir das Geld in allen Taschen. Dazu braucht es nur eines guten Hirnschleifsteins; hier hab' ich noch einen liegen, ist zwar schon etwas abgenutzt, geht aber doch mit (wenn du ihn trägst)! Den geb' ich dir für deine Gans. Willst du?«

»Ob ich will? Freilich!« rief Hans ganz erfreut. »Geld in allen Taschen ist eine schöne Profession.«

Der lose Schleifer gab dem guten Hans einen alten Wetzstein und einen Kiesel, der am Wege lag, und Hans zog fürbaß, ganz glücklich, daß sich alles so schön getroffen, meinte, er müsse in einer Glückshaut geboren sein.

Aber die Sonne schien und brannte heiß, Hans hatte Hunger und Durst, war matt und müde, und die Steine waren schwer, fast so schwer, wie der Goldklumpen gewesen war, und er dachte: O wenn ich mich doch nicht mit diesen Schleifsteinen schleppen müßte. Da war ein Brünnlein am Wege, daraus wollte Hans seinen Durst löschen, bückte sich, und beim Bücken fielen die Steine in den Brunnen hinab. Wer war froher wie Hans im Glücke, daß er so mit einem Male ohne sein Zutun die schweren Steine los geworden! Freudig sprang er auf, los und ledig aller Sorgen, aller Lasten, pries sich als den glücklichsten Menschen und langte guten Mutes bei seiner Mutter an, – Hans im Glücke.

Die schöne junge Braut

s ging einmal ein hübsches Landmädchen in den Wald, um Futter für ihre Kuh zu holen; wie sie nun in Gottes Namen grasete und an gar nichts Arges dachte, so kamen auf einmal vier Räuber, umringten sie und führten sie mit sich fort, ohne Gnad' und Barmherzigkeit, sie mochte schreien und zappeln, bitten und betteln so viel sie wollte. Weit ab von des Mädchens Heimat in einem finstern Walde hatten die Räuber ein Haus, worin sie sich aufhielten, wenigstens blieben immer einige daheim, wenn die andern auf Raub auszogen. Dem Mädchen taten aber die Räuber weiter nichts zuleide, als daß sie sie eben aus ihrer Heimat fortführten und sie in dem Hause gleichsam gefangen hielten; sie mußte den Haushalt besorgen, kochen, backen und waschen, sonst hatte sie es gut, wurde aber immer scharf bewacht. Dabei hatten ihr die Räuber den Namen gegeben: Schöne junge Braut.

So war nun das Mädchen schon einige Jahre in der Räuberherberge, als es sich einmal traf, daß ein Hauptraub ausgeführt werden sollte, an dem, wenn er gelingen sollte, die ganze helle Bande teilnehmen mußte.

Da das Mädchen sich an das Leben in der Räuberhöhle gewöhnt zu haben schien, auch noch keinen Versuch zu entfliehen gemacht hatte und auch schwerlich durch den wilden Wald die Wege finden würde – so dachte der Hauptmann – so blieb sie diesesmal allein und unbewacht im Waldhause zurück.

Aber die Räuber waren kaum fort, so sann die schöne Braut darauf, wie sie ihre Entführer überlisten und unerkannt entfliehen könne. Sie machte geschwind eine Gestalt von Stroh, zog derselben ihre Kleider an, setzte ihr ihre Haube auf, sich selbst aber bestrich sie von Kopf bis zu den Füßen mit Honig, wälzte sich darauf über und über in Federn, so daß sie ganz unkennbar wurde

und aussah wie ein seltsamer Vogel. Die Gestalt in ihren Kleidern
lehnte sie an ein Fenster über der Haustür und ließ sie hinaus-
sehen, doch mit verdecktem Gesicht, und dann eilte sie von
dannen.

Mochte es aber nun sein, daß dem Hauptmann eine Ahnung
von des Mädchens beabsichtigter Flucht kam, oder daß etwas
vergessen worden war, genug, er sandte einige seiner Räuber nach
dem Hause zurück, und gerade mußte es sich treffen, daß ihnen
auf ihrem Wege das fiedrige Käuzlein aufstieß. Sie dachten aber, es
wäre einer ihrer Kumpane, der sich unkenntlich gemacht hätte
und riefen die Gestalt lachend und fragend an.

»Wohin, wohin, Herr Federsack?
Was macht die schöne junge Braut?«

Diese, die es selbst war, war zwar sehr erschrocken, doch faßte sie sich ein Herz und antwortete mit verstellter Stimme:

>»Sie fegt und säubert unser Haus
Und schaut wohl auch zum Fenster heraus!«

Damit machte sie, daß sie den Räubern aus dem Gesichte kam, kam auch glücklich aus dem Walde, erreichte ein Dorf, kaufte sich Kleider, badete sich und erlangte glücklich und wohlbehalten, obschon nach langer Wanderung, ihre Heimat wieder, und da sie nicht gerade das Beste in der Räuberherberge zurückgelassen hatte, sondern für ihren Jahrlohn mitgehen heißen, so hatte sie auch wohl zu leben und heiratete einen wackern Burschen.

Jene Räuber, wie die nun des Hauses ansichtig wurden, sahen die Gestalt der schönen jungen Braut am Fenster und grüßten schon von weitem, indem sie riefen:

>»Grüß Gott, o schöne junge Braut,
Die freundlich uns entgegenschaut.«

Da aber der Gruß unerwidert blieb, so verwunderten sich die Räuber, und als sie näher kamen vermeinten sie, die schöne junge Braut sei eingeschlafen. Vergebens riefen sie, sie ermunterte sich nicht; vergebens geboten sie ihr, zu öffnen, all ihr Pochen und Schreien, Rufen und Schelten war erfolglos und wütend traten sie zuletzt die Türe in Trümmern, stürmten die Treppe hinauf und faßten die Gestalt der schönen jungen Braut hart an, da fiel ihnen die Strohpuppe in die Arme. Da riefen die Räuber:

>»Fahr' wohl, du schöne junge Braut!
Ein Tor ist, wer auf Weiber baut!«

Die sieben Raben

ie in der Welt gar viele wunderliche Dinge geschehen, so trug sich's auch einmal zu, daß eine arme Frau sieben Knäblein auf einmal gebar; und diese lebten alle und gediehen alle. Nach etlichen Jahren bekam sie auch noch ein Töchterchen. Ihr Mann war gar fleißig und tüchtig in seiner Arbeit, deshalb ihn auch die Leute, welche Handarbeiter bedurften, gerne in Dienst nahmen, wodurch er nicht nur seine zahlreiche Familie auf ehrliche Weise ernähren konnte, sondern so viel erwarb, daß auch noch bei genauer Einrichtung seine brave Hausfrau einen Notpfennig zurücklegen konnte. Doch dieser treue Vater starb in seinen besten Jahren, und die arme Witwe geriet bald in Not, denn sie konnte nicht so viel erschaffen, um ihre acht Kinder zu ernähren und zu kleiden. Dazu wurden die sieben Knaben immer größer und brauchten immer mehr und wurden aber auch zur größten Betrübnis ihrer Mutter immer unartiger, ja sie wurden sogar wild und böse. Die arme Frau vermochte kaum zu ertragen, was sie alles bekümmerte und drückte. Sie wollte doch ihre Kinder gut und fromm erziehen, und ihre Strenge und Milde fruchtete nichts, der Knaben Herzen waren und blieben verstockt. Darum sprach sie eines Tages, als ihre Geduld ganz zu Ende war: »Oh, ihr bösen Raben-Jungen, ich wollte, ihr wäret sieben schwarze Raben und flöget fort, daß ich euch nimmer wieder sähe.« Und alsbald wurden die sieben Knaben zu Rabenvögeln, fuhren zum Fenster hinaus und verschwanden.

Nun lebte die Mutter mit ihrem einzigen Töchterlein recht stille und zufrieden, sie verdienten sich mehr noch, als sie brauchten. Und die Tochter wurde ein hübsches, gutes und sittsames Mädchen. Doch nach etlichen Jahren bekamen beide, Mutter und Tochter, gar herzliche Sehnsucht nach den sieben Brüdern und sprachen oft von ihnen und weinten: »Wenn doch die Brüder wieder kämen und brave Burschen wären, wie könnten wir durch unsere Arbeit uns so gut stehen und untereinander so viele Freude haben.« Und weil die Sehnsucht nach ihren Brüdern im Herzen des Mägdleins immer heftiger wurde, sprach sie einst zur Mutter: »Liebe Mutter, laß mich fortwandern und die Brüder aufsuchen, daß ich sie umlenke von ihrem bösen Wesen und sie dir zuführe zur Ehre und Freude deines Alters.« Die Mutter antwortete: »Du gute Tochter, ich kann und will dich nicht abhalten, die fromme Tat zu vollführen, wandre fort, und Gott geleite dich!« Gab ihr darauf ein kleines goldenes Ringelein, das sie schon als kleines Kind am Finger getragen, wie die Brüder in Raben verwandelt wurden.

Da machte sich das Mädchen sogleich auf und wanderte fort, gar weit, weit fort und fand lange keine Spur von ihren Brüdern; aber einmal kam sie an einen sehr hohen Berg, auf dessen Höhe ein kleines Häuschen stand, da hatte sie sich drunten niedergesetzt, um auszuruhen, und blickte sinnend immer hinauf nach dem Häuschen. Dasselbe kam ihr bald vor wie ein Vogelnest, denn es sah grau aus, als ob es von Steinchen und Kot zusammengefügt wäre, bald kam es ihr vor wie eine menschliche Wohnung. Sie dachte: ob nicht da droben deine Brüder wohnen? Und als sie endlich sieben schwarze Raben aus dem Häuschen fliegen sah, bestätigte sich ihre Vermutung noch mehr. Sie machte sich freudig auf, um den Berg zu ersteigen; doch der Weg, der hinaufführte, war mit so seltsamen, spiegelglatten Steinen gepflastert, daß sie allemal, wenn sie mit großer Mühe eine Strecke hinan war, ausglitt und wieder herunterfiel. Da wurde sie betrübt und wußte nicht, wie sie nun hinaufkommen könnte. Da sah sie eine schöne weiße Gans und dachte: Wenn ich nur deine Flügel hätte, so wollte ich bald droben sein. Dann dachte sie wieder: Kann ich mir denn ihre Flügel nicht abschneiden? Ei, dann wäre mir ja geholfen!

Und sie fing rasch die schöne Gans, schnitt ihr die Flügel ab und auch die Beine und nähte sich dieselben an. Und siehe, wie sie das Fliegen probierte, ging es so schön, so leicht und gut, und wenn sie müde war vom Fliegen, lief sie ein wenig mit den Gänsefüßen und glitt nicht einmal wieder aus. So kam sie schnell und gut an das lang ersehnte Ziel. Droben ging sie hinein in das Häuschen, doch war es sehr klein; drinnen standen sieben winzig kleine Tischchen, sieben Stühlchen, sieben Bettchen, und in der Stube waren auch sieben Fensterchen, und in dem Ofen standen sieben Schüsselchen, darauf lagen gebratene Vögelchen und gesottene Vogeleier.

Die gute Schwester war von der weiten Reise müde geworden und freute sich nun, einmal ordentlich ausruhen zu können; auch fühlte sie Hunger. Da nahm sie die sieben Schüsselchen aus dem Ofen und aß von einem jeden ein wenig, und setzte sich auf jedes Stühlchen ein wenig, und legte sich in jedes Bettchen ein wenig, und in dem letzten Bettchen schlief sie ein und blieb darinnen liegen, bis die sieben Brüder zurückkamen. Diese flogen durch die sieben Fenster herein in die Stube, nahmen ihre Schüsseln aus dem Ofen und wollten essen, merkten aber, daß schon davon gegessen war. Nun wollten sie sich schlafen legen und fanden ihre Bettchen verrückt, und einer der Brüder tat einen lauten Schrei und sprach: »O was liegt für ein Mägdlein in meinem Bett!« Die andern Brüder liefen schnell herbei und sahen erstaunt das schlafende Mädchen liegen. Da sprach einer um den andern: »Wenn es doch unser Schwesterchen wäre!« Und wieder rief einer um den andern voll Freude: »Ja, das ist unser Schwesterchen, ja, das ist es! Solche Haare hatte es, und solch ein Mündlein hatte es, und solch ein Ringlein trug es damals an seinem größten Finger, wie es jetzt am kleinsten eins trägt!« Und sie jauchzten alle und küßten das Schwesterchen alle; aber dieses schlief so fest, daß es lange nicht erwachte.

Endlich schlug das Mädchen die Äuglein auf und sah die sieben schwarzen Brüder um ihr Bett sitzen. Da sagte sie: »Oh, seid herzlich gegrüßt, meine lieben Brüder, Gott sei gedankt, daß ich euch endlich gefunden habe; ich habe euretwegen eine lange, mühevolle Reise gemacht, um euch wieder aus eurer Verbannung zurückzuholen, wenn ihr nämlich einen bessern Sinn in euern Herzen gefaßt habt, daß ihr eure gute Mutter nie mehr ärgern wollet, daß ihr fleißig mit uns arbeitet und die Ehre und Freude eurer alten Mutter werden wollet.« Während dieser Rede hatten die Brüder bitterlich geweint und sprachen nun: »Ja, herzige Schwester, wir wollen gut sein und nie wieder die Mutter beleidigen, ach, als Raben haben wir ein elendigliches Leben, und ehe wir uns dieses Häuschen erbaut, sind wir oft vor Hunger und Elend bald umgekommen. Dazu kam die Reue, die uns Tag und Nacht folterte: denn wir mußten die Leichname von den armen gerichteten Sündern fressen, und wurden dadurch stets an des Sünders schauerliches Ende erinnert.«

Die Schwester weinte Freudentränen, daß ihre Brüder sich bekehrt hatten und so voll frommen Sinnes sprachen. »Oh!« rief sie aus, »nun ist alles gut, wenn ihr nach Hause kommt und die Mutter vernimmt, daß ihr besser worden seid, wird sie euch herzlich verzeihen und euch wieder zu Menschen machen.«

Als nun die Brüder mit dem Schwesterchen heimreisen wollten, sprachen sie erst, indem sie ein hölzernes Kästchen öffneten: »Liebe Schwester, nimm hier diese schönen goldenen Ringe und blitzenden Steinchen, die wir draußen so nach und nach fanden, in dein Schürzchen und trage es mit nach Hause, denn dadurch können wir als Menschen reich werden. Als Raben trugen wir sie nur um des schönen Glanzes willen zusammen.«

Das Schwesterchen tat so, wie die Brüder wollten, und hatte selbst Freude an dem schönen Schmuck. Auf der Heimreise trugen die Rabenbrüder einer um den andern das Schwesterchen auf ihren Flügeln, bis sie an die Wohnung ihrer Mutter kamen; da flogen sie zum Fenster hinein und baten ihre Mutter um Verzeihung und gelobten, fortan stets gute Kinder zu sein. Auch die Schwester half bitten und flehen, und die Mutter war voll Freude und Liebe und verzieh ihren sieben Söhnen. Da wurden sie wieder Menschen und gar schöne blühende Jünglinge, einer so groß und

so anmutsvoll wie der andere. Dankend herzten und küßten sie die gute Mutter und die liebevolle Schwester. Und bald darauf nahmen alle sieben Brüder sich junge, sittsame Frauen, bauten sich ein großes, schönes Haus, denn sie hatten für ihre Kleinodien sehr vieles Geld bekommen. Und des neuen Hauses erste Weihe war der Brüder siebenfache Hochzeit.

Dann nahm auch die Schwester einen braven Mann, mußte aber auf der Brüder Flehen und Bitten bei ihnen wohnen bleiben.

So hatte die gute Mutter noch viel Freude an ihren Kindern und wurde von denselben bis in ihr spätes Alter liebevoll gepflegt und kindlich verehrt.

Die drei Hochzeitsgäste

s waren einmal in einem Dorfe drei Hofhunde, die hielten gute Nachbarschaft miteinander, und da sollte eine große Bauernhochzeit sein; zu derselben war alt und jung geladen, und wurde gekocht und gebacken, gesotten und gebraten, daß der Geruch durchs ganze Dorf zog. Die drei Hunde waren auch beisammen und rochen den feinen Dunst und ratschlagten, wie sie auch hin zur Hochzeit gehen wollten und sehen, ob nichts für sie abfallen werde. Aber um unnützes Aufsehen zu vermeiden, beschlossen sie, nicht zugleich alle drei auf einmal hinzulaufen, sondern einzeln, einer nach dem andern.

Der erste ging, machte sich in das Schlachthaus, erschnappte jählings ein großes Stück Fleisch und wollte damit seiner Wege gehen, allein er wurde erwischt und empfing eine fürchterliche Tracht Prügel, nächstdem, daß man ihm das Stück Fleisch aus den Zähnen riß.

So kam er hungrig und übelgeschlagen zurück auf den Hof zu seinen Nachbargesellen, die hungerten schon nach guter Nachricht und fragten: »Nun, wie ist es dir ergangen?« Nun schämte sich aber der Hund, die Wahrheit zu gestehen, daß sein Hochzeitsmahl in einer scharfgesalzenen Prügelsuppe bestanden, sprach deshalb: »Ganz wohl! Aber es geht dort scharf her, und muß einer hart und weich vertragen können!«

Die Kameraden, als sie das hörten, vermeinten, es werde über alle Maßen gegessen und getrunken auf der Hochzeit, und es fallen viele guten Bröcklein ab, harte und weiche, Fleisch und Bein, und alsbald rannte der zweite Hund in vollen Sprüngen nach dem Hochzeithaus, gerade in die Küche, und nahm, was er fand, – aber ehe er noch den Rückweg fand, war er schon bemerkt und ward ihm ein Topf voll siedend heißes Wasser über den

Rücken gegossen, daß es nur so dampfte, als er von dannen schoß, wie ein Pudel, der aus dem Wasser kommt; doch ob's ihn auch schrecklich brannte, er verbiß seinen Schmerz. Als er nun auf den Hof kam, wo die beiden Kameraden seiner harrten, fragten die gleich: »Nun, wie hat es dir gefallen?«

»Ganz wohl!« antwortete der Hund, »aber es geht dort heiß her, und muß einer kalt und warm vertragen können!«

Da dachte der dritte Hund: die Hochzeitsgäste sind beim Schmaus in voller Arbeit und kalte und warme Speisen wechseln ab, wollte daher nichts versäumen und wenigstens zum Nachtisch da sein, wenn der mürbe Kuchen aufgetragen wird. Eilte sich, was er konnte. Kaum aber war er im Hause, so erwischte ihn einer, klemmte ihm den Schwanz zwischen die Stubentür, gerbte ihm das Fell windelweich und klemmte so lange, bis die Haut vom Schwanze sich abstreifte und der Hund verschändet entsprang.

»Nun, wie hat es dir auf der Hochzeit gefallen?« fragten die Freunde, jeder mit etwas Spott im Herzen. Der Übelzugerichtete zog seinen geschundenen Schwanz, so gut es gehen wollte, zwischen die Beine, daß man diesen nicht sah, und sprach: »Ganz wohl, es ging recht toll her, und gab viel Mürbes, aber Haare lassen muß einer können.«

Und da dachten die drei Hunde noch lange daran, wie wohl ihnen die Hochzeitsuppe, die Hochzeitbrühe und der Hochzeitkuchen geschmeckt hatte, und vom Braten hat jeder genug gerochen.

Das Tränenkrüglein

s war einmal eine Mutter und ein Kind, und die Mutter hatte das Kind, ihr einziges, lieb von ganzem Herzen und konnte ohne das Kind nicht leben und nicht sein. Aber da sandte der Herr eine große Krankheit, die wütete unter den Kindern und erfaßte auch jenes Kind, daß es auf sein Lager sank und zum Tod erkrankte. Drei Tage und drei Nächte wachte, weinte und betete die Mutter bei ihrem geliebten Kinde, aber es starb. Da erfaßte die Mutter, die nun allein war auf der ganzen Gotteserde, ein gewaltiger und namenloser Schmerz, und sie aß nicht und trank nicht und weinte, weinte wieder drei Tage lang und drei Nächte lang ohne Aufhören, und rief nach ihrem Kinde. Wie sie nun so voll tiefen Leides in der dritten Nacht saß, an der Stelle, wo ihr Kind gestorben war, tränenmüde und schmerzensmatt bis zur

Ohnmacht, da ging leise die Türe auf, und die Mutter schrak zusammen, denn vor ihr stand ihr gestorbenes Kind. Das war ein seliges Engelein geworden und lächelte süß wie die Unschuld und schön wie in Verklärung. Es trug aber in seinen Händchen ein Krüglein, das war schier übervoll. Und das Kind sprach: »O lieb Mütterlein, weine nicht mehr um mich! Siehe, in diesem Krüglein sind deine Tränen, die du um mich vergossen hast; der Engel der Trauer hat sie in dieses Gefäß gesammelt. Wenn du nur noch eine Träne um mich weinst, so wird das Krüglein überfließen, und ich werde dann keine Ruhe haben im Grabe und keine Seligkeit im Himmel. Darum, o lieb Mütterlein, weine nicht mehr um dein Kind, denn dein Kind ist wohl aufgehoben, ist glücklich, und Engel sind seine Gespielen.« Damit verschwand das tote Kind, und die Mutter weinte hinfort keine Träne mehr, um des Kindes Grabesruhe und Himmelsfrieden nicht zu stören.

Der Hase und der Fuchs

in Hase und ein Fuchs reisten beide miteinander. Es war Winterszeit, grünte kein Kraut, und auf dem Felde kroch weder Maus noch Laus. »Das ist ein hungriges Wetter«, sprach der Fuchs zum Hasen, »mir schnurren alle Gedärme zusammen.«

»Jawohl«, antwortete der Hase. »Es ist überall Dürrhof, und ich möchte meine eignen Löffel fressen, wenn ich damit ins Maul langen könnte.«

So hungrig trabten sie miteinander fort. Da sahen sie von weitem ein Bauernmädchen kommen, das trug einen Handkorb, und aus dem Korb kam dem Fuchs und dem Hasen ein angenehmer Geruch entgegen, der Geruch von frischen Semmeln. »Weißt du was!« sprach der Fuchs: »Lege dich hin der Länge lang und stelle dich tot. Das Mädchen wird seinen Korb hinstellen und dich aufheben wollen, um deinen armen Balg zu gewinnen, denn Hasenbälge geben Handschuhe; derweilen erwische ich den Semmelkorb, uns zum Troste.«

Der Hase tat nach des Fuchsen Rat, fiel hin und stellte sich tot, und der Fuchs duckte sich hinter eine Windwehe von Schnee. Das Mädchen kam, sah den frischen Hasen, der alle Viere von sich streckte, stellte richtig den Korb hin und bückte sich nach dem Hasen. Jetzt wischte der Fuchs hervor, erschnappte den Korb und strich damit querfeldein, gleich war der Hase lebendig und folgte eilend seinem Begleiter. Dieser aber stand gar nicht still und machte keine Miene, die Semmeln zu teilen, sondern ließ merken, daß er sie allein fressen wollte. Das vermerkte der Hase sehr übel. Als sie nun in die Nähe eines kleinen Weihers kamen, sprach der Hase zum Fuchs: »Wie wäre es, wenn wir uns eine Mahlzeit Fische verschafften? Wir haben dann Fische und Weißbrot, wie die großen Herren! Hänge deinen Schwanz ein wenig ins Wasser, so

werden die Fische, die jetzt auch nicht viel zu beißen haben, sich daran hängen. Eile aber, ehe der Weiher zufriert.«

Das leuchtete dem Fuchs ein, er ging hin an den Weiher, der eben zufrieren wollte, und hing seinen Schwanz hinein, und eine kleine Weile, so war der Schwanz des Fuchses fest angefroren. Da nahm der Hase den Semmelkorb, fraß die Semmeln vor des Fuchses Augen ganz gemächlich, eine nach der andern, und sagte zum Fuchs: »Warte nur, bis es auftaut, warte nur bis ins Frühjahr, warte nur, bis es auftaut!« und lief davon, und der Fuchs bellte ihm nach, wie ein böser Hund an der Kette.

Der beherzte Flötenspieler

s war einmal ein lustiger Musikant, der die Flöte meisterhaft spielte; er reiste daher in der Welt herum, spielte auf seiner Flöte in Dörfern und in Städten und erwarb sich dadurch seinen Unterhalt. So kam er auch eines Abends auf einen Pächtershof und übernachtete da, weil er das nächste Dorf vor einbrechender Nacht nicht erreichen konnte. Er wurde von dem Pächter freundlich aufgenommen, mußte mit ihm speisen und nach geendigter Mahlzeit einige Stücklein auf seiner Flöte vorspielen. Als dieses der Musikant getan hatte, schaute er zum Fenster hinaus und gewahrte in kurzer Entfernung bei dem Scheine des Mondes eine alte Burg, die teilweise in Trümmern zu liegen schien. »Was ist das für ein altes Schloß?« fragte er den Pächter, »und wem hat es gehört?« Der Pächter erzählte, daß vor vielen, vielen Jahren ein Graf da gewohnt hätte, der sehr reich, aber auch sehr geizig gewesen wäre. Er hätte seine Untertanen sehr geplagt, keinem armen Menschen ein Almosen gegeben und sei endlich ohne Erben (weil er aus Geiz sich nicht einmal verheiratet habe) gestorben. Darauf hätten seine nächsten Anverwandten die Erbschaft in Besitz nehmen wollen, hätten aber nicht das geringste Geld gefunden. Man behaupte daher, er müsse den Schatz vergraben haben und dieser möge heute noch in dem alten Schloß verborgen liegen. Schon viele Menschen wären des Schatzes wegen in die alte Burg gegangen, aber keiner wäre wieder zum Vorschein gekommen. Daher habe die Obrigkeit den Eintritt in dies alte Schloß untersagt und alle Menschen im ganzen Lande ernstlich davor gewarnt.

Der Musikant hatte aufmerksam zugehört, und als der Pächter seinen Bericht geendigt hatte, äußerte er, daß er großes Verlangen habe, auch einmal hineinzugehen, denn er sei beherzt und kenne keine Furcht. Der Pächter bat ihn aufs dringendste und endlich schier fußfällig, doch ja sein junges Leben zu schonen und nicht in das Schloß zu gehen. Aber es half kein Bitten und Flehen, der Musikant war unerschütterlich.

Zwei Knechte des Pächters mußten ein paar Laternen anzünden und den beherzten Musikanten bis an das alte schaurige Schloß begleiten. Dann schickte er sie mit einer Laterne wieder zurück, er aber nahm die zweite in die Hand und stieg mutig eine hohe Treppe hinan. Als er diese erstiegen hatte, kam er in einen großen Saal, um den ringsherum Türen waren. Er öffnete die erste und ging hinein, setzte sich an einen darin befindlichen altväterischen Tisch, stellte sein Licht darauf und spielte die Flöte.

Der Pächter aber konnte die ganze Nacht vor lauter Sorgen nicht schlafen und sah öfters zum Fenster hinaus. Er freute sich jedesmal unaussprechlich, wenn er drüben den Gast noch musizieren hörte. Doch als seine Wanduhr elf schlug und das Flötenspiel verstummte, erschrak er heftig und glaubte nun nicht anders, als der Geist oder der Teufel, oder wer sonst in diesem Schlosse hauste, habe dem schönen Burschen nun ganz gewiß den Hals umgedreht.

Doch der Musikant hatte ohne Furcht sein Flötenspiel abgewartet und gepflegt; als aber sich endlich Hunger bei ihm regte, weil er nicht viel bei dem Pächter gegessen hatte, so ging er in dem Zimmer auf und nieder und sah sich um. Da erblickte er einen Topf voll ungekochter Linsen stehen, auf einem andern Tische stand ein Gefäß voll Wasser, eines voll Salz und eine Flasche Wein. Er goß geschwind Wasser über die Linsen, tat Salz daran, machte Feuer in dem Ofen an, weil auch schon Holz dabei lag, und kochte sich eine Linsensuppe. Während die Linsen kochten, trank er die Flasche Wein leer, und dann spielte er wieder Flöte. Als die Linsen gekocht waren, rückte er sie vom Feuer, schüttete sie in die auf dem Tische schon bereitstehende Schüssel und aß frisch darauf los. Jetzt sah er nach seiner Uhr, und es war um die zwölfte Stunde. Da ging plötzlich die Türe auf, zwei lange schwarze

Männer traten herein und trugen eine Totenbahre, auf der ein Sarg stand. Diesen stellten sie, ohne ein Wort zu sagen, vor den Musikanten, der sich keineswegs im Essen stören ließ, und gingen ebenso lautlos, wie sie gekommen waren, wieder zur Türe hinaus. Als sie sich nun entfernt hatten, stand der Musikant hastig auf und öffnete den Sarg. Ein altes Männchen, klein und verhutzelt, mit grauen Haaren und grauem Barte, lag darinnen; aber der Bursche fürchtete sich nicht, nahm es heraus, setzte es an den Ofen, und kaum schien es erwärmt zu sein, als sich schon Leben in ihm regte. Er gab ihm hierauf Linsen zu essen und war ganz mit dem Männchen beschäftigt, ja fütterte es wie eine Mutter ihr Kind. Da wurde das Männchen ganz lebhaft und sprach zu ihm: »Folge mir!« Das Männchen ging voraus, der Bursche aber nahm seine Laterne und folgte ihm sonder Zagen. Es führte ihn nun eine hohe verfallene Treppe hinab, und so gelangten endlich beide in ein tiefes, schauerliches Gewölbe.

Hier lag ein großer Haufen Geld. Da gebot das Männchen dem Burschen: »Diesen Haufen teile mir in zwei ganz gleiche Teile, aber daß nichts übrig bleibt, sonst bringe ich dich ums Leben!« Der Bursche lächelte bloß, fing sogleich an zu zählen auf zwei große Tische herüber und hinüber und brachte so das Geld in kurzer Zeit in zwei gleiche Teile, doch zuletzt – war noch ein Kreuzer übrig. Der Musikant aber besann sich kurz, nahm sein Taschenmesser heraus, setzte es auf den Kreuzer mit der Schneide und schlug ihn mit einem dabeiliegenden Hammer entzwei. Als er nun die eine Hälfte auf diesen, die andere auf jenen Haufen warf, wurde das Männchen ganz heiter und sprach: »Du himmlischer Mann, du hast mich erlöst! Schon hundert Jahre muß ich meinen Schatz bewachen, den ich aus Geiz zusammengescharrt habe, bis es einem gelingen würde, das Geld in zwei gleiche Teile zu teilen. Noch nie ist es einem gelungen, und ich habe sie alle erwürgen müssen. Der eine Haufen Geld ist nun dein, den andern aber teile unter die Armen. Göttlicher Mensch, du hast mich erlöst!« Darauf verschwand das Männchen. Der Bursche aber stieg die Treppe hinan und spielte in seinem vorigen Zimmer lustige Stücklein auf seiner Flöte.

Da freute sich der Pächter, daß er ihn wieder spielen hörte, und mit dem frühesten Morgen ging er auf das Schloß (denn am Tage durfte jedermann hinein) und empfing den Burschen voller Freude. Dieser erzählte ihm die Geschichte, dann ging er hinunter zu seinem Schatz, tat, wie ihm das Männchen befohlen hatte und verteilte die eine Hälfte unter die Armen. Das alte Schloß aber ließ er niederreißen, und bald stand an der vorigen Stelle ein neues, wo nun der Musikant als reicher Mann wohnte.

Der kleine Däumling

s war einmal ein armer Korbmacher, der hatte mit seiner Frau sieben Jungen, da war immer einer kleiner als der andere, und der jüngste war bei seiner Geburt nicht viel über Fingers Länge, daher nannte man ihn Däumling. Zwar ist er hernach noch in etwas gewachsen, doch nicht gar zu sehr, und den Namen Däumling hat er behalten. Doch war es ein gar kluger und pfiffiger kleiner Knirps, der an Gewandtheit und Schlauheit seine Brüder alle in den Sack steckte.

Den Eltern ging es erst gar übel, denn Korbmachen und Strohflechten ist keine so nahrhafte Profession wie Semmelbacken und Kälberschlachten, und als vollends eine teure Zeit kam, wurde dem armen Korbmacher und seiner Frau himmelangst, wie sie ihre sieben Würmer satt machen sollten, die alle mit äußerst gutem Appetit gesegnet waren.

Da beratschlagten eines Abends, als die Kinder zu Bette waren, die beiden Eltern miteinander, was sie anfangen wollten, und wurden Rates, die Kinder mit in den Wald zu nehmen, wo die Weiden wachsen, aus denen man Körbe flicht und sie heimlich zu verlassen. Das alles hörte der Däumling an, der nicht schlief wie seine Brüder, und schrieb sich der Eltern übeln Ratschlag hinter die Ohren. Simulierte auch die ganze Nacht, da er vor Sorge doch kein Auge zutun konnte, wie er es machen sollte, sich und seinen Brüdern zu helfen.

Früh morgens lief der Däumling an den Bach, suchte die kleinen Taschen voll weiße Kiesel und ging wieder heim. Seinen Brüdern sagte er von dem, was er erhorcht hatte, kein Sterbenswörtchen. Nun machten sich die Eltern auf in den Wald, hießen die Kinder folgen, und der Däumling ließ ein Kieselsteinchen nach dem andern auf den Weg fallen, das sah niemand, weil er, als der jüngste, kleinste und schwächste, stets hintennach trottelte. Das wußten die Alten schon nicht anders.

Im Wald machten sich die Alten unvermerkt von den Kindern fort, und auf einmal waren sie weg. Als das die Kinder merkten, erhoben sie allzumal, Däumling ausgenommen, ein Zetergeschrei. Däumling lachte und sprach zu seinen Brüdern: »Heult und schreit nicht so jämmerlich! Wollen den Weg schon allein finden.« Und nun ging Däumling voran und nicht hinterdrein und richtete sich genau nach den weißen Kieselsteinchen, fand auch den Weg ohne alle Mühe.

Als die Eltern heimkamen, bescherte ihnen Gott Geld ins Haus; eine alte Schuld, auf die sie nicht mehr gehofft hatten, wurde von einem Nachbar an sie abbezahlt, und nun wurden Eßwaren gekauft, daß sich der Tisch bog. Aber nun kam auch das Reuelein, daß die Kinder verstoßen worden waren, und die Frau begann erbärmlich zu lamentieren: »Ach du lieber, allerlieber Gott! Wenn wir doch die Kinder nicht im Wald gelassen hätten! Ach, jetzt könnten sie sich dicksatt essen, und so haben die Wölfe sie vielleicht schon im Magen! Ach, wären nur unsre liebsten Kinder da!«

»Mutter, da sind wir ja!« sprach ganz geruhig der kleine Däumling, der bereits mit seinen Brüdern vor der Türe angelangt war und die Wehklage gehört hatte; öffnete die Türe, und herein trippelten die kleinen Korbmacher – eins, zwei, drei, vier, fünf, sechs, sieben. Ihren guten Appetit hatten sie wieder mitgebracht, und daß der Tisch so reichlich gedeckt war, war ihnen ein gefundenes Essen. Die Herrlichkeit war groß, daß die Kinder wieder da waren und es wurde, so lange das Geld reichte, in Freuden gelebt, dies ist armer Handarbeiter Gewohnheit.

Nicht gar lange währte es, so war in des Korbmachers Hütte Schmalhans wieder Küchenmeister, und ein Kellermeister mangelte ohnehin, und es erwachte aufs neue der Vorsatz, die Kinder im Walde ihrem Schicksal zu überlassen. Da der Plan wieder als lautes Abendgespräch zwischen Vater und Mutter verhandelt

109

wurde, so hörte auch der kleine Däumling alles, das ganze Gespräch, Wort für Wort und nahm sich's zu Herzen.

Am andern Morgen wollte Däumling abermals aus dem Häuschen schlüpfen, Kieselsteine aufzulesen, aber o weh, da war's verriegelt, und Däumling war viel zu klein, als daß er den Riegel hätte erreichen können, da gedachte er sich anders zu helfen. Wie es fort ging zum Walde, steckte Däumling Brot ein und streute davon Krümchen auf den Weg, meinte, ihn dadurch wieder zu finden.

Alles begab sich wie das erstemal, nur mit dem Unterschied, daß Däumling den Heimweg nicht fand, dieweil die Vögel alle Krümchen rein aufgefressen hatten. Nun war guter Rat teuer, und die Brüder machten ein Geheul in dem Walde, daß es zum Steinerbarmen war. Dabei tappten sie durch den Wald, bis es ganz finster wurde, und fürchteten sich über die Maßen, bis auf Däumling, der schrie nicht und fürchtete sich nicht. Unter dem schirmenden Laubdach eines Baumes auf weichem Moos schliefen die sieben Brüder, und als es Tag war, stieg Däumling auf einen Baum, die Gegend zu erkunden. Erst sah er nichts als eitel Waldbäume, dann aber entdeckte er das Dach eines kleinen Häuschens, merkte sich die Richtung, rutschte vom Baume herab und ging seinen Brüdern tapfer voran. Nach manchem Kampf mit Dickicht, Dornen und Disteln sahen alle das Häuschen durch die Büsche blicken und schritten gutes Mutes darauf los, klopften auch ganz bescheidentlich an der Türe an. Da trat eine Frau heraus, und Däumling bat gar schön, sie doch einzulassen, sie hätten sich verirrt und wüßten nicht wohin. Die Frau sagte: »Ach, ihr armen Kinder!« und ließ den Däumling mit seinen Brüdern eintreten, sagte ihnen aber auch gleich, daß sie im Hause des Menschenfressers wären, der besonders gern die kleinen Kinder fräße. Das war eine schöne Zuversicht! Die Kinder zitterten wie Espenlaub, als sie dieses hörten, hätten gern lieber selbst etwas zu essen gehabt und sollten nun statt dessen gegessen werden. Doch die Frau war gut und mitleidig, verbarg die Kinder und gab ihnen auch etwas zu essen. Bald darauf hörte man Tritte, und es klopfte stark an der Türe; das war kein anderer als der heimkehrende Menschenfresser. Dieser setzte sich an den Tisch zur Mahlzeit, ließ Wein auftragen und schnüffelte, als wenn er etwas röche, dann rief er seiner Frau zu: »Ich wittre Menschenfleisch!« Die Frau wollte es ihm ausreden, aber er ging seinem Geruch nach und fand die Kinder. Die waren ganz hin vor Entsetzen. Schon wetzte er sein langes Messer, die Kinder zu schlachten, und nur allmählich gab er den Bitten seiner Frau nach, sie noch ein wenig am Leben zu lassen und aufzufüttern, weil sie doch gar zu dürr seien, besonders der kleine Däumling. So ließ der böse Mann und Kinderfresser sich endlich beschwichtigen. Die Kinder wurden zu Bette gebracht, und zwar in derselben Kammer, wo ebenfalls in einem großen Bette des Menschenfressers sieben Töchter schliefen, die so alt waren wie die sieben Brüder. Sie waren von Angesicht sehr häßlich, jede hatte aber ein goldenes Krönlein auf dem Haupte. Das alles war der Däumling gewahr geworden, machte sich ganz still aus dem Bette, nahm seine und seiner Brüder Nachtmützen, setzte diese Menschenfressers Töchtern auf und deren Krönlein sich und seinen Brüdern.

Der Menschenfresser trank vielen Wein, und da kam ihm seine böse Lust wieder an, die Kinder zu morden, nahm sein Messer und schlich sich in die Schlafkammer, wo sie schliefen, willens, ihnen die Hälse abzuschneiden. Es war aber stockdunkel in der Kammer, und der Menschenfresser tappte blind umher, bis er an ein Bette stieß, und fühlte nach den Köpfen der darin Schlafenden. Da fühlte er die Krönchen und sprach: »Halt da! Das sind deine Töchter. Bald hättest du betrunkenes Schaf einen Eselsstreich gemacht!«

Nun tappelte er nach dem andern Bette, fühlte da die Nachtmützen und schnitt seinen sieben Töchtern die Hälse ab, einer nach der andern. Dann legte er sich nieder und schlief seinen Rausch aus. Wie der Däumling ihn schnarchen hörte, weckte er seine Brüder, schlich sich mit ihnen aus dem Hause und suchte das Weite. Aber wie sehr sie auch eilten, so wußten sie doch weder Weg noch Steg, und liefen in der Irre umher voll Angst und Sorge, nach wie vor.

Als der Morgen kam, erwachte der Menschenfresser und sprach zu seiner Frau: »Geh und richte die Krabben zu, die gestrigen!« Sie meinte, sie sollte die Kinder nun wecken, und ging voll Angst um sie hinauf in die Kammer. Welch ein Schrecken für die Frau, als sie nun sah, was geschehen war; sie fiel gleich in Ohnmacht über diesen schrecklichen Anblick, den sie da hatte. Als sie nun dem Menschenfresser zu lange blieb, ging er selbst hinauf, und da sah er, was er angerichtet. Seine Wut, in die er geriet, ist nicht zu beschreiben.

Jetzt zog er die Siebenmeilenstiefel an, die er hatte, das waren Stiefel, wenn man damit sieben Schritte tat, so war man eine Meile gegangen, das war nichts Kleines. Nicht lange, so sahen die sieben Brüder ihn von weitem über Berg und Täler schreiten und waren sehr in Sorgen, doch Däumling versteckte sich mit ihnen in die Höhlung eines großen Felsens. Als der Menschenfresser an diesen Felsen kam, setzte er sich darauf, um ein wenig zu ruhen, weil er müde geworden war, und bald schlief er ein und schnarchte, daß es war, als brause ein Sturmwind.

Wie der Menschenfresser so schlief und schnarchte, schlich sich Däumling hervor wie ein Mäuschen aus seinem Loch und zog ihm die Meilenstiefel aus und zog sie selber an. Zum Glück hatten diese Stiefel die Eigenschaft, an jeden Fuß zu passen wie angemessen und angegossen. Nun nahm er an jede Hand einen seiner Brüder, diese faßten wieder einander an den Händen, und so ging es, hast du nicht gesehen, mit Siebenmeilenstiefelschritten nach Hause. Da waren sie alle willkommen, Däumling empfahl seinen Eltern ein sorglich Auge auf die Brüder zu haben, er wolle nun mit Hilfe der Stiefel schon selbst für sein Fortkommen sorgen, und als er das kaum gesagt, so tat er einen Schritt, und er war schon weit fort, noch einen, und er stand über eine halbe Stunde auf einem Berge, noch einen, und er war den Eltern und Brüdern aus den Augen.

Nachderhand hat der Däumling mit seinen Stiefeln sein Glück gemacht, und viele große und weite Reisen, hat vielen Herren gedient, und wenn es ihm wo nicht gefallen hat, ist er sporn-streichs weiter gegangen. Kein Verfolger zu Fuß noch zu Pferd konnte ihn einholen, und seine Abenteuer, die er mit Hilfe seiner Stiefel bestand, sind nicht zu beschreiben.

Das Kätzchen und die Stricknadeln

s war einmal eine arme Frau, die in den Wald ging, um Holz zu lesen. Als sie mit ihrer Bürde auf dem Rückwege war, sah sie ein krankes Kätzchen hinter einem Zaun liegen, das kläglich schrie. Die arme Frau nahm es mitleidig in ihre Schürze und trug es nach Hause zu. Auf dem Wege kamen ihre beiden Kinder ihr entgegen, und wie sie sahen, daß die Mutter etwas trug, fragten sie: »Mutter, was trägst du?« und wollten gleich das Kätzchen haben; aber die mitleidige Frau gab den Kindern das Kätzchen nicht, aus Sorge, sie möchten es quälen, sondern sie legte es zu Hause auf alte weiche Kleider und gab ihm Milch zu trinken. Als das Kätzchen sich gelabt hatte und wieder gesund war, war es mit einem Male fort und verschwunden. Nach einiger Zeit ging die arme Frau wieder in den Wald, und als sie mit ihrer Bürde Holz auf dem Rückwege wieder an die Stelle kam, wo das kranke Kätzchen gelegen hatte, da stand eine ganz vornehme Dame dort, winkte die arme Frau zu sich und warf ihr fünf Stricknadeln in die

Schürze. Die Frau wußte nicht recht, was sie denken sollte und dünkte diese absonderliche Gabe ihr gar zu gering; doch nahm sie die fünf Stricknadeln des Abends auf den Tisch. Aber als die Frau des andern Morgens ihr Lager verließ, da lag ein Paar neue, fertig gestrickte Strümpfe auf dem Tisch. Das wunderte die arme Frau über alle Maßen, und am nächsten Abend legte sie die Nadeln wieder auf den Tisch, und am Morgen darauf lagen neue Strümpfe da. Jetzt merkte sie, daß zum Lohn ihres Mitleids mit dem kranken Kätzchen ihr diese fleißigen Nadeln beschert waren und ließ dieselben nun jede Nacht stricken, bis sie und die Kinder genug hatten. Dann verkaufte sie auch Strümpfe und hatte genug bis an ihr seliges Ende.

Das Gruseln

s waren einmal zwei Brüder, von denen war der eine, der älteste, nicht auf den Kopf gefallen, vielmehr anstellig und pfiffig über alle Maßen; der jüngere aber hatte, wie man so sagt, ein Brett vor dem Kopf. Das machte dem Vater große Sorge, ihm aber keine, denn er lebte ganz sorglos und arglos in die Welt hinein, wie die Dummen leben, und er mochte wohl, ohne daß er's wußte, das Sprüchlein im Kopfe haben: Hänschen lerne nicht zu viel, du mußt sonst zu viel tun. Wenn der Vater etwas verrichtet haben wollte, so mußt' er's allemal dem ältern, dem Matthes, sagen, denn der andre, das Hänschen, richtete alles verkehrt aus, zerbrach den Ölkrug und die Branntweinflasche, oder blieb eine Ewigkeit aus.

Matthes dagegen machte alles gut, nur einen Fehler hatte er, er war furchtsamer Natur, es gruselte ihn gar zu sehr. Wenn er abends am Kirchhof vorbeiging, so gruselte ihn, und wenn er eine Gespenstergeschichte erzählen hörte, so bekam er vom eitel Gruseln eine Gänsehaut wie ein Reibeisen und klagte: »Ach, ach, ach, es gruselt mich gar zu sehr.«

Sein Bruder aber, das dumme Hänschen, lachte ihn oft deshalb aus und sagte: »Hä hä, wie kann es einen nur gruseln? Die Kunst möcht' ich können, mich gruselt's all mein Lebtage nicht – möchte wahrlich das Gruseln lernen!«

»Du siehst aus wie einer, der was lernen möcht'!« schalt der Vater auf Hänschen. »Zeit wär's freilich, du wirst ein großer, starker Lümmel – aber mit dem Gruseln lernen, du Hansdampf, da ist's nichts, das ist keine Kunst, damit verdienst du kein Körnlein Salz zum lieben Brote. Und weißt du denn auch, wie man das Gruseln lernt? Was gilt die Wette, daß du auch dazu zu dumm bist?«

Während der Vater und der Bruder noch das dumme Hänschen auslachten, kam der Nachbar Küster und Schulmeister herüber zum Besuch und hörte noch, wie das Hänschen verlacht wurde, und bekam erzählt, daß der Bube gern das Gruseln lernen wolle. »Das kann er bei mir prächtig lernen!« sprach der Küster. »Mein Schulhaus ist das allerelendeste Nest von einem Hause im ganzen Orte, mit gruselt's den ganzen Tag, daß mir's über den Kopf zusammenfällt und einmal die hoffnungsvollen Rangen miteinander erschlägt. Gebt mir das Hänschen herüber, ich muß ja so manchem Dummbart Wissenschaften beibringen, werd' ihm doch wohl auch das Gruseln anlehren können!« Der Vater war den Vorschlag zufrieden, und das Hänschen folgte dem Küster hinüber in das alte, wackelige Schulhaus. Ihn gruselte das aber mit nichten, es war ihm gerade so einerlei, daß dem Haus der Einsturz drohte, wie es dem Schulzen und der ehrsamen Gemeinde einerlei war.

Nun sann der Küster auf ein andres Stücklein, das dem Hänschen auf alle Fälle das Gruseln beibringen sollte. Er hieß ihn die Abendglocke läuten, schlüpfte aber noch vor ihm heimlich hinauf in die Glockenstube, und als Hänschen zur Treppe hinauf war und den Strang zur Abendglocke faßte, hörte er von der Treppe her einen dumpfen, stöhnenden Laut. Wie er sich umsah, stand dort eine große weiße Schleiergestalt starr und unbeweglich.

»Wer bist du? Was willst du?« fragte Hänschen, ohne daß ihn nur im mindesten gegruselt hätte. Keine Antwort. »Ich frage dich, wer du bist?« rief Hänschen mit stärkerer Stimme. Keine Antwort. »Hast du kein Maul, Schneemann? Noch einmal: was willst du?« Keine Antwort.

Mein Hänschen nicht faul, springt mit einem Satz auf die Gestalt los, wie der Kasper im Puppenspiel auf den Teufel, und rennt sie, die sich solcher Herzhaftigkeit nicht versah, pardauz! über den Haufen, daß sie ein ganz Stück die Stiegen hinunter kollert, und was für Stiegen? Stiegen von so einziger Art, wie sie nur auf alten Dorfkirchtürmen anzutreffen sind, ausgetreten, verrottet, eng, voll jahrhundertalten Staubes. Drunten lag das Gespenst und ächzte und krächzte, Hänschen aber läutete zum Abendgebet und schwang gar wacker den Glockenstrang, als wäre eben nichts vorgefallen; dann kletterte er wohlgemut die Stiege hinab und ging aus dem Turme, dessen Türe er hinter sich zuschloß. Die Küsterin wußte gar nicht, wo ihr Mann blieb. »Wo ist denn Er?« fragte sie Hänschen.

»Wer?« fragte Hänschen.

»Er!« sagte die Küsterin. »Er ist ja vor dir hinüber auf den Turm.«

»So!« sagte Hänschen, »ist er das gewesen? Es stand ein weißer Labutzel an der Treppe, der wollte mir nicht Red' und Antwort geben, da hab' ich ihn die Treppe hinabgestoßen, er liegt noch drüben und krächzt.«

»Galgenstrick!« schrie die Küsterin, riß Hänschen den Schlüssel aus der Hand und sprang auf den Turm, da lag ihr Mann in seinem Bettuch und hatte ein Bein gebrochen.

Jetzt erging es Hänschen gar nicht gut; die Küsterin verklagte ihn bei seinem Vater, und der wurde ganz wild und schrie: »Ein Taugenichts ist der Junge, aus den Augen soll er mir! Fort, marsch! Hier ist Geld – geh, laß dich henken, wo du willst – mir kommst du nimmermehr vor die Augen. Schimpf und Schande und Schaden hat man von dir, du Nichtsnutz!«

»Geh mit Gott, Hänschen!« spottete Matthes, »sorge fein, daß du das Gruseln lernest, das Gruseln soll jetzt Mode sein, und den Menschen draußen in der Welt gruselt's vor allerhand, da wirst du schon vom Gruseln auch deinen Teil bekommen!«

Hänschen ging, er hatte Geld, und wenn einer Geld hat, braucht's ihn erst recht nicht zu gruseln. Unterwegs sprach er öfter vor sich hin: »Wenn mich doch nur gruselte, wenn mich doch nur gruselte!« Das hörte ein Mann, der hinter Hänschen kam, und sprach zu ihm: »Schau dorthin – dort steht der Dreibein, da hängt eine schöne Gesellschaft dran – gerade ihrer sieben, was man so sagt: ein Galgen voll. Dort nimm unter den sieben dein Nachtlager, da lernst du das Gruseln.«

119

»Wenn das wahr wäre«, sprach Hänschen, »so wollt ich dir morgen früh all mein Geld geben. Kannst zu mir kommen und es holen, oder du kannst ja auch gleich bei mir bleiben!«

»Daß ich ein Narr wäre und unterm lichten Galgen bei dir bliebe!« antwortete jener. »Nein, mein guter Gesell, das Gruseln lernt sich viel besser, wenn einer allein, als wenn er zu zweien ist. Gute Nacht! – Auf Wiedersehen morgen in der Frühe!« – Hänschen setzte sich unter den Galgen, machte sich, weil es kalt war, ein Feuerchen an, das schien hübsch hell hinauf zu den Gehenkten, und der scharfe Nordwind bewegte ihre schlotternden Körper hin und her, hin und her.

»Ei, ihr gar armen Teufel!« rief Hänschen hinauf. »Euch friert ja, daß ihr schnappert und klappert. Wartet, ich will euch herunter holen, sollt euch wärmen an meinem Feuer.« Und Hänschen nicht faul, fand eine Galgenleiter, stieg hinauf, knüpfte die Gehenkten los und setzte sie an sein Feuer, das er nun stärker und größer machte. Jene aber schauten gottserbärmlich aus, grün, gelb und jämmerlich, blitzblau, abscheulich, wie das Sprichwort sagt, und regten und rührten sich nicht; das Feuer fraß um sich und begann die Lumpen und Fetzen anzukohlen, welche um die Leichname herumhingen.

»Na?« sagte Hänschen, »ihr laßt ja eure Kleider verbrennen! Da heißt's recht bei euch: gleiche Lumpen, gleiche Lappen! Wartet – ich will euch helfen, so unachtsam sein!« Nahm sie, einen nach dem andern, und hing sie wieder hinauf, hüllte sich in seinen Mantel, streckte sich an sein Feuer und schlief ein. So fand ihn der Mann, mit dem er gestern gegangen, und der heute kam, das Geld zu holen. Da er aber Hänschen so ruhig schlafen sah, wuchs ihm wenig Hoffnung, daß es das Gruseln über Nacht gelernt haben möchte, und als Hänschen nun aufwachte und ihm erzählte, was er vorgenommen habe, da wandte sich der Mann zum Gehen und sprach: »Dein Geld hab' ich diesmal nicht verdient, du lernst das Gruseln nimmermehr.«

Wie Hänschen nun auch weiter und seines Weges ging, sprach

er vor sich hin: »'s ist doch alleweil schade, daß ich das Gruseln nicht erlernen kann, muß wohl zu dumm dazu sein. Ei ei – wenn ich doch nur das Gruseln könnte.«

Das hörte ein Fuhrmann, der desselben Weges daherschritt, der sprach zu Hänschen: »Ei, kannst du das Gruseln nicht? Da kehre nur dort in dem Wirtshaus am Weg ein, wenn du nämlich Geld hast, der Wirt macht hautschaudrige Zechen, mich hat's noch jedesmal überlaufen, wenn ich hab' in dessen Haus einkehren müssen.« »Das wollen wir sehen!« sprach Hänschen, dankte dem Fuhrmann und schritt auf dasselbige Wirtshaus zu.

»Was schaffen S'?« fragte der Wirt.

»Möcht's Gruseln lernen«, antwortete Hänschen. »Die Leute auf der Landstraße sagen, bei Euch wär's leicht zu lernen, Ihr machtet so grusliche Rechnungen und führtet eine so grusliche Kreide!«

Warte, Lecker! dachte der Wirt, dir will ich wohl was lehren, daß dich das Gruseln ankommt, und zu Hänschen sprach er: »Mein lieber Wandergesell, Ihr seid mit Unwahrheit berichtet worden; in meinem Hause kann man das Gruseln keineswegs lernen, und ich bediene meine Gäste nicht so, wie Euch irgend ein Schalksnarr erzählt und vorgelogen hat. Ist's Euch um Gruseln zu tun, so geht doch hinauf auf das alte verwünschte Schloß da droben und seht zu, daß Ihr die Königstochter zur Frau bekommt, die ihr Vater dem versprochen hat, der das Schloß von seinen Poltergeistern befreit; da gibt's was zu gruseln und reich zu werden.«

»Ich will so tun, wie Ihr mir ratet«, sagte Hänschen, und der Wirt sprach wieder: »Damit, daß Ihr hinaufgeht, ist's noch nicht getan. Erst müßt Ihr beim König um Erlaubnis bitten und müßt drei Nächte lang droben bleiben. Kommt Ihr mit dem Leben davon, so ist die Prinzessin Eure Frau.«

»Und wenn ich nicht mit dem Leben davonkomme, was dann?« fragte Hänschen – und der Wirt lachte ihm ins Gesicht und sprach: »Ich merke schon, Ihr seid ein Schlaukopf, Ihr hättet sicher das Pulver erfunden, wenn's noch nicht erfunden wär'!«

121

Und Hänschen ging eilend zu dem Könige, bat um die Erlaubnis und erhielt sie, auch sprach der König: »Mein Sohn, du darfst dir auch dreierlei mitnehmen, aber nur nichts Lebendiges.« Nun hatte Hänschen schon in seiner Jugend immer gar zu gern Feuer angemacht, an der Schnitzelbank gesessen und auch bisweilen an der Drehbank, und verstand mit solchen Dingen umzugehen. Darum begehrte er weiter nichts mit auf das Schloß zu nehmen, als ein gutes Feuerzeug, eine Schnitzelbank und eine Drehbank, »damit mich nicht friert«, sagte er, »und ich mir die Zeit vertreiben kann.« – Das ward dem Hänschen gern gegeben, und er schlug seinen Sitz in einem hübschen Zimmer mit großem Kamin im alten Schloß auf. Als es Nacht wurde, machte Hänschen ein helles Feuer an, das wärmte und leuchtete sehr schön. Auf einmal kamen zwei kohlschwarze Katzen, die hatten Augen wie von grünem Feuer, und schrien: »Miau, miau, uns friert!«

»Ei, wenn euch friert, so wärmt euch doch, hier ist ein Feuer!« sprach Hänschen.

Das taten die Katzen auch, dann sagten sie: »Die Zeit wird uns zu lang, wir wollen zu dritt Karten spielen, Dreiblatt oder Pochens.«

»Meinetwegen Pochens«, sagte Hänschen, »wenn ihr Karten mitgebracht habt.«

Die Katzen hatten wirklich ein Kartenspiel und zeigten es Hänschen, und da sah Hänschen, daß sie fürchterliche Krallen an ihren schwarzen Pfoten hatten, und sagte: »Mit Verlaub, eure Frau Mutter hat euch die Nägel recht lange nicht geschnitten, schämt euch was, kommt, ich will sie euch putzen!« und packte die Katzen und klemmte ihnen die Pfoten in die Drehbank. Da bissen sie nach ihm, und so nahm er sein Schnitzmesser und schnitzte ihnen die Köpfe ab und warf Katzenköpfe und Leiber aus dem Fenster in den Schloßgraben. Als er wieder zum Feuer kam, saß ein großer Hund dort und bleckte ihm die Zähne und hatte eine feurige Zunge armslang zum Halse heraushängen. Dies gefiel Hänschen wieder nicht, er nahm abermals sein Schnitzmesser und hieb damit dem Hund gerade zwischen die Zähne in den Rachen, da fiel die Zunge herunter, und der obere Kopf nahm Abschied von seinem Unterteil. Nun meinte Hänschen Ruhe zu haben und wollte sie auch genießen; in der Ecke stand ein Bett, da legte er sich hinein und deckte sich zu. Er war aber noch nicht eingeschlafen, da fing das Bett an zu fahren wie ein Dampfwagen, und fuhr im ganzen Schloß herum, treppauf, treppab, durch Säle und Zimmer – aber Hänschen sagte: »Schau, nun spür' ich doch, wie's tut, wenn die großen Herren fahren. Fahre du nur immer zu.« – Endlich mochte das Bett des Fahrens müde sein, es rollte wieder ins Hänschens Zimmer, wo das Feuer noch lustig brannte, da stand es still, und Hänschen schlief ein und schlief wie ein Toter.

Am andern Morgen stand der König an seinem Bett und sagte: »Na, das heiß' ich einen gesunden Schlaf, wenn ich den hätte! So gut schläft kein König. Freut mich, daß der Junge noch lebt und schnarcht. Heda! Hänschen!«

»Schön guten Morgen, Herr König! Schon so frühe?« fragte Hänschen.

»Wünsche wohl geruht zu haben!« sprach der König.

»Danke, gleichfalls!« sprach Hänschen.

»Kannst auf meine Rechnung drunten beim Wirt frühstücken und zu Mittag essen, aber abends bist du wieder hier oben, magst du?« sprach und fragte der König. »Ei freilich wohl«, sagte Hänschen; »drei Nächte müssen's sein.«

Wie Hänschen zum Wirte kam, wunderte der sich sehr und fragte: »Nun, noch lebendig? – Aber das Gruseln wird man doch gelernt haben in heutiger Nacht?«

»Nicht rühran!« erwiderte Hänschen. Da fing es dem Wirt selber an, vor Hänschen über und über zu gruseln. Hänschen ließ sich's wohl sein auf des Königs Rechnung und sorgte sich nicht um diese, und als es Abend wurde, war er schon wieder oben im Spuckschloß und machte sich sein Feuer an.

Auf einmal prasselte es droben im Schornstein, als breche alles in tausend Trümmer, und da kam ein Kerl heruntergefahren, der war aber nur halb. »Na«, sagte Hänschen, »was soll denn das sein? Da fehlt ja noch eine Halbschied, anderthalb Mann sind doch noch keine Gesellschaft.« Kaum hatte Hänschen das gesagt, bautz! kam die andre Hälfte nachgefallen, mitten in das Feuer. Hänschen nahm die beiden Hälften, warf sie aus dem Kamin in die Stube und brachte sein Feuer wieder in Ordnung. Wie er damit zustande war und umschaute, war aus den beiden Hälften ein einziger Kerl geworden, aber kein schöner, der saß auf Hänschens Stuhl.

»Platz da!« schrie Hänschen, »hier sitze ich, marsch, oder ich halbier dich mit dem Schnitzelmesser!«

Auf einmal polterte es wieder im Schornstein, Totenbeine und Schädel prasselten herab und noch einige Männer vom greulichsten Aussehen. »Guten Abend, meine Herren!« sagte Hänschen; »Sie sind doch ganze Männer, das laß ich mir gefallen. Gehören vielleicht in die Familie Schön? Ach, wie schade, daß kein Spiegel im Zimmer hängt. Womit könnt' ich Ihnen denn eigentlich dienen?« – Die Männer sahen Hänschen mit furchtbaren Blicken an, einer nahm die Totenbeine, es waren gerade neun, und stellte sie als Kegel auf, die andern nahmen die Schädel und rollten sie nach den Kegeln.

»Kegelschieben tu ich für mein Leben gern!« sagte Hänschen. »Erlauben Sie nicht, daß ich auch mitspiele? Spielen sie Brettspiel oder Partens ums Partiegeld? Wie?«

»Hast du Geld?« fragten die Männer grimmig.

»Oui!« sagte Hänschen, und fuhr in die Tasche und klimperte.

»Nun, so schieb an!« schrie einer der Männer und reichte ihm einen Totenschädel dar.

»Mit Verlaub, das ist eine eckige Kugel. Gebt her, da hab' ich eine Drehbank stehen, wollen sie hübsch rund drehen, damit wir gut alle Neun treffen.« Sprach's und setzte sich und drehte die Schädel rund. Dann ging das Spiel an, Hänschen schob gut, aber die Männer schoben noch besser, Hänschen verlor etwas, und das Spiel fing wieder an, Hänschen schob und rief freudig: »Alle Neun!«

»Nein, zwölf!« riefen die Männer mit dumpfem Ton und verschwanden mit Knochen und Schädeln, und die alte Uhr auf dem Schloßturm schlug zwölf.

»Nun so was!« rief Hänschen. »Ist das auch eine Manier? Erst locken sie mir mein bißchen Geld ab, und nun ich gut schiebe, machen sie sich aus dem Staube.« Darauf legte er sich wieder in das Bett, das heute ganz ruhig blieb, und schlief bis an den hellen Morgen.

»Heute wird er wohl nicht mehr am Leben sein«, sprach der König, als er auf Hänschens Zimmer zuging, »ich höre ihn nicht wie gestern schnarchen, wird wohl aus sein mit ihm.« Aber Hänschen ermunterte sich sehr schnell und sprach: »Wünsche wohl geruht zu haben, Majestät!«

»Gleichfalls, danke schön!« antwortete der König. »Wie ging es diese Nacht?«

»Recht hübsch, danke der gütigen Nachfrage, Herr König!« antwortete Hänschen. »Es war eine Sorte Schlotfeger da, sie kamen zum Schornstein heruntergefahren, und wir haben mit Totenbeinen gekegelt.« Dem König schauerte die Haut und er sagte: »Aber das ist ja ganz gruselig!«

»Was denn, Herr König?« fragte Hänschen.

»Das – eben!« erwiderte der König. »Nun Glück zu zur dritten Nacht!«

»'s ist doch recht fatal, daß ich nimmermehr das Gruseln lerne!« sprach Hänschen zu sich selbst, als die dritte Nacht herbeikam. Auf einmal entstand ein großer Rumor, sechs Männer traten in das Zimmer, die trugen eine Totenlade auf der Bahre, stellten sie vor Hänschen hin und verschwanden. Hänschen dachte: Wer mag da drinnen liegen? und öffnete den Sarg. Da lag einer drin, der war steif und eiskalt. – »Ach, den friert, er ist ganz steif vor Frost«, sagte Hänschen, »den muß ich wärmen!« hob den Toten aus dem Sarge und trug ihn an sein Feuer, aber er blieb kalt. »Der muß ins Bette, da wird er schon warm werden« – und nahm ihn und legte ihn ins Bette und sich dazu. Nach einer Weile wurde der Tote warm und wachte auf und machte sich breit und sagte: »Wer hat dir geheißen, mich in meiner Ruhe zu stören? Jetzt sollst du sterben!«

»Ist das eilig?« fragte Hänschen, packte jenen rasch an, warf ihn in die Totenlade, den Deckel darauf und schraubte denselben schnell zu. Da kamen gleich die sechs Männer wieder, die hoben den Sargkasten auf und trugen ihn fort.

Bald darauf trat ein greulicher Riese herein, mit großem langem Bart, der schrie: »Wurm! Jetzt mußt du sterben! Du mußt mit mir!« – »Ich gehe nicht mit dir!« sagte Hänschen. »Es pressiert mir nicht; ich habe noch zu tun, wie du siehst!« und setzte sich an die Drehbank und trat das Rad und drehte die Spindel und hielt den Meißel an das Werkholz. Der Riese bog sich über das Rad her und wollte Hänschen fassen. Mit einem Male schrie er aber laut: »Au! au! mein Bart, mein Bart!« Es war das Ende des Bartes zwischen die Darmsaite, die das Rad umschwingen half, gekommen und hatte sich durch das schnelle Drehen festgewickelt und zog nun den ganzen Kopf nach sich, und Hänschen trat frisch darauf los und sagte: »Kerl, hab' acht, jetzt drehe ich dir deine große Nase ab und drehe dir die Augen aus und drehe aus deinem dicken Kopf eine Kegelkugel, so wahr ich Hänschen heiße!« Da gab der Riese die besten Worte, Hänschen solle ihn gehen lassen, er wolle ihm auch die drei Kisten voll Gold zeigen, eine sei dem König, die zweite sei den Armen bestimmt, die dritte wolle er ihm schenken. »Nun wohl«, sagte Hänschen, »gib das Ding her, aber bis ich's habe, bleibst du in den Bock gespannt und trägst die Drehbank auf deinen Schultern.«

Das war ein sehr unbequemes Tragen, die Bank auf den Schultern und den Bart ins Rad verflochten, das zog. Der Riese ging nun in ein andres Zimmer voran und zeigte Hänschen die Kisten voll Gold. Indem schlug es zwölfe, und da verschwand er, und die Drehbank stand ohne Träger. Hänschen war es, als ob die Kisten auch Miene machten zu verschwinden, da rief er »Halt, halt!« und faßte sie und hielt sie fest und zog sie hinüber in sein Zimmer, worauf er sich schlafen legte, wieder ohne Gruseln.

Am andern Morgen kam der König und fragte: »Nun, diese Nacht war dir's doch ganz gewiß recht gruselig?«

»Wieso denn, Herr König?« fragte Hänschen. »Ich habe eine Kiste voll Gold geschenkt bekommen, auch eine für Euch und eine für die Armen. Muß es einem gruselig werden, wenn man Gold geschenkt bekommt?«

»Du hast Großes vollbracht!« sprach der König. »Durch deine Furchtlosigkeit hast du das Schloß von den Poltergeistern befreit und den verzauberten Schatz an das Licht gezwungen. Du sollst auch deinen Lohn haben und meine Tochter heiraten!«

»Obligiert, Herr König!« sagte Hänschen, »es ist aber doch schade, daß ich heiraten soll und bin noch so dumm, daß ich noch nicht das Gruseln gelernt habe.«

»O mein lieber Sohn und Schwiegersohn!« erwiderte der König. »Heirate du nur, da wird sich alles finden. Es hat schon mancher das auch nicht gekonnt und hat geheiratet, und da ist er außerordentlich gruselig geworden und hat die Gänsehaut nicht wieder los werden können.«

»Selbige Hoffnung freut mich, Herr König!« rief Hänschen vergnügt aus.

Bald war herrliche Hochzeit, Hänschen war sehr glücklich, sehr reich und hatte eine wunderschöne Frau, doch sagte er: »Weiß nicht, wie lange es noch dauern soll, bis ich's Gruseln lerne.«

Nun warte, Hänschen! Dich soll es doch noch gruseln, sprach zu sich selbst die junge Königin, Hänschens Gemahlin, ließ einen Eimer Wasser mit kleinen Gründlingen und Ellritzen herbeischaffen, und da Hänschen schlief, nahm sie ihm die Bettdecke weg und schüttete den Eimer voll Wasser und Fischlein über Hänschen her. »Brrrr!« fuhr er auf und schnapperte vor Kälte. »Mir träumte, ich wäre in den Fischteich gefallen – Brrrr! Es gruselt mich, es gruselt mich! Hab' eine Gänsehaut wie ein Reibeisen! Siehst du, liebe Frau? Endlich nun – nun kann ich das Gruseln, nun kann ich das Gruseln.«

127

Tischlein deck' dich, Esel streck' dich, Knüppel aus dem Sack

n einem kleinen Städtchen lebte ein ehrlicher Schneider mit seiner Familie, die fünf Häupter zählte: Vater, Mutter und drei Söhne. Letztere wurden sowohl von den Eltern, als auch von sämtlichen Einwohnern des Städtchens nicht nach ihren Taufnamen genannt, sondern schlechtweg nur der Lange, der Dicke, der Dumme. So folgten sie dem Alter nach aufeinander. Der Lange wurde ein Schreiner, der Dicke ein Müller, der Dumme ein Drechsler.

Als nun der Lange aus der Lehre kam, wurde sein Bündel geschnürt und er in die Fremde geschickt, und er zog wohlgemut mit langen Schritten zum Tore des heimatlichen Städtchens hinaus. Lange Zeit wanderte der Bursche von Ort zu Ort und konnte keine Arbeit bekommen; da nun sein ohnehin knappes Reisegeld sehr zu Ende ging, und er keine frohe Aussicht hatte zu Arbeit und Verdienst, so wurde er traurig und ging kopfhängerisch und sachte auf seinem Wege weiter. Dieser führte ihn just durch einen stillen, schönen Wald, und wie der Bursche so eine Strecke hinein war, begegnete ihm ein kleiner, etwas wohlbeleibter Mann, der ihn gar freundlich grüßte, stehen blieb und fragte: »Na, Bürschlein, wo hinaus denn? Siehst ja gar traurig aus, was fehlt dir denn?«

»Mir fehlt Arbeit«, sprach der Bursche treuherzig. »Das ist meine ganze Trauer – bin schon lange gewandert – hab' kein Geld mehr.«

»Was kannst du denn für ein Handwerk?« forschte das Männlein weiter.

»Ich bin ein Schreiner.«

K. MÜHLMEISTER

Das Gruseln, zu Seite 120

»O so komm doch mit mir«, rief der Kleine fröhlich aus, »ich will dir Arbeit geben! Sieh, ich wohne hier in diesem Wald – ja ja, komm nur mit, du wirst's gleich sehen.«

Und kaum hundert Schritte weiter lag ein schönes Haus, und rings herum war ein dichter frischgrüner Tannenzaun, anzusehen wie eine Schutzmauer, und vorne am Eingang standen zwei hohe Tannen, gleich wie riesige Schildwachen. Da hinein führte das Männlein den Schreinergesellen, der nun alsbald seine Traurigkeit fahren ließ und mit vergnügten Mienen in das trauliche Zimmer des einsamen Meisters einschritt. »Willkommen!« rief da aus der Ecke hinterm Ofen ein ältliches Mütterlein und trippelte auf den Burschen zu, um ihn seines Felleisens entledigen zu helfen. Der Meister plauderte den Abend noch gar lange mit dem Burschen, und das Mütterlein trug Speisen auf und stellte auch ein Krüglein auf den Tisch, worin etwas weit Besseres war als Wasser oder Kovent.

Dem jungen Schreiner gefiel es ganz wohl bei seinem Meister; er bekam nicht allzuviel zu tun, arbeitete fleißig und hielt sich auch sonst brav und ordentlich, so daß keine Klage über ihn geführt wurde. Doch nach etlichen Monaten sprach das alte Männlein: »Lieber Gesell, ich kann dich nun nicht länger brauchen, sondern muß dir Feierabend geben. Und mit Geld kann ich dir deine Arbeiten, die du mir getan, auch nicht belohnen; aber ich will dir ein schönes Andenken geben, das dir mehr helfen wird als Gold und Silber.« Dabei reichte er ihm ein allerliebstes kleines Tischchen und sprach weiter: »So oft du dieses »Tischlein deck' dich« hinstellen wirst und dreimal sprechen: Tischlein deck dich, so oft wird es dir diejenigen Speisen und Getränke zum Mahle darbieten, die du nur wünschen magst. Und nun lebe wohl und gedenke fein deines alten Meisters.«

Ungern verließ der Geselle seine bisherige Werkstätte, er nahm betrübt und froh zugleich das wundertätige Tischlein aus den Händen des Gebers und zog, noch vielmals dankend, ab und lenkte seine Schritte der lieben Heimat wieder zu. Unterwegs bot ihm das Tischlein, so oft der Bursche die Zauberformel nur sprach, seine reichen Genüsse, da standen im Nu die feinsten Gerichte, die edelsten Weine darauf, und alle Gefäße waren von Silber, und darunter glänzte das feinste schneeweiße Tischgedeck. Natürlich hielt der Geselle sein »Tischlein decke dich« sehr hehr; auf seiner letzten Herberge, ehe er heim kam, gab er es noch seinem Wirt aufzuheben. Da er aber vorher nichts im Wirtshaus gezehrt, sondern sich mit dem Tischchen eingeschlossen hatte, so hatte der Wirt ihn belauscht durch eine Ritze in der Brettertür und hatte des Tischleins Geheimnis entdeckt. Daher war er über alle Maßen froh, daß er das Tischlein in seine Verwahrung bekam, freute sich mächtig über die herrliche Eigenschaft desselben. Er ließ sich's ganz trefflich behagen vor der kleinen Tafel und sann dabei nach, wie er sich auf die beste Weise das Tischchen aneignen möchte. Da fiel ihm bei, daß er ein ganz ähnliches Tischchen, obschon kein »Tischchen decke dich«, besitze. Der schlaue Wirt versteckte daher das echte Tischlein und stellte das andere, unechte, am andern Morgen dem Gesellen zu, der sich ohne Bedenken damit belud und nun fröhlich seiner Heimat zueilte. Mit Freude grüßte der lange Schreiner daheim die Seinen und entdeckte sogleich seinem Vater die köstliche Bewandtnis, die es mit dem Tischchen habe. Der Vater zweifelte stark, der Sohn aber stellte es vor sich hin, sprach dreimal: »Tischlein decke dich.« Aber es deckte sich nicht, und der ehrliche Schneidermeister sprach zu seinem Sohne: »Du dummer Hans, bist du darum in der Fremde gewesen, deinen alten Vater zu uzen? Geh, laß dich nicht auslachen!«

Der lange Schreiner wußte in der Welt keinen Rat, wie es nun so einmal mit dem Tischchen die Quere gehe? Er probierte noch allerlei; aber es deckte sich nicht wieder, und der Lange mußte wieder zum Hobel greifen und arbeiten, daß die Schwarte knackte.

Unterdessen war der dicke Müller auch aus der Lehre gekommen und wanderte fort in die Fremde. Und es fügte sich, daß dieser ebenfalls denselben Weg nahm, auch das nämliche kleine

Männlein fand, und von ihm in Arbeit genommen wurde. Das Waldhaus war aber jetzt eine Mühle. Als der junge Mühlknappe eine Zeitlang brav, treu und fleißig in Arbeit gestanden hatte, schenkte ihm sein Meister zum Andenken einen schönen Müller-löwen und sprach: »Nimm zum Abschied noch eine kleine Gabe, die dir, obgleich ich dir deine Arbeiten nicht mit Geld belohnen kann, doch mehr nützen wird als Gold und Silber. So oft du zu diesem Eselein sprechen wirst: Eselein strecke dich! so oft wird es dir Dukaten niesen.«

Fast öfter, als der Lange unterwegs gesprochen hatte: »Tischlein decke dich«, sprach jetzt der Dicke: »Eselein strecke dich«, und da streckte sich das Tier und ließ Dukaten fallen, daß es rasselte und prasselte. Es war eine allerliebste Sache – die blanken Goldstücke.

Aber auch der Müllergeselle kam mit seinem Esel in die Herberge des betrüglichen und schlauen Wirtes, ließ auftafeln, bewirtete, wer nur bewirtet sein wollte, und als der Wirt die Zeche forderte, sprach er: »Harret ein wenig, ich will nur erst Geld holen.« Nahm das Tischtuch mit, ging in den Stall, breitete es über das Stroh, darauf der Esel stand, und sprach: »Eselein strecke dich!« – da streckte sich der Esel und nieste, und es klingelten Dukaten auf dem Tuche, draußen aber stand der Wirt, sah durch ein Astloch in der Türe und merkte sich die Sache. Am andern Morgen stand zwar ein Esel da, aber nicht der rechte, und der Dicke, keinen Betrug ahnend, setzte sich heiter auf und ritt fort. Als er zu seinem Vater kam, verkündete er ihm auch sein Glück und sprach, als alle die Seinen froh verwundert den Esel umstanden: »Nun habt Achtung!« und zum Esel sich wendend: »Eselein, strecke dich!« Das fremde Eselein streckte sich zwar auch, aber was selbiges fallen ließ, das waren nichts weniger als Goldstücke. Der Dicke wurde von allen, denen er die Kunst hatte wollen sehen lassen, fürchterlich ausgelacht; er schlug den Esel windelweich, schlug ihm dennoch keine Dukaten aus der Haut und mußte fortan wieder arbeiten und im Schweiß seines Angesichts sein Brot essen.

Es war nun wieder ein Jahr verflossen, und auch der Dumme hatte seine Lehrzeit überstanden und zog als ein wackerer Drechsler in die Fremde. Recht mit Fleiß nahm er denselben Lauf wie seine Brüder und wünschte sehr, bei jenem kleinen Männlein auch in Arbeit zu kommen, da dasselbe, wie die Brüder erzählt hatten, in allen Fächern bewandert war, in Handwerken wie in Gelehrtheit und Weisheit, und so schöne Sachen zu verschenken hatte. Richtig gelangte auch der Drechslergeselle in den gewissen Wald, fand die einsame Wohnung des Männleins, und auch ihn nahm es als einen fleißigen Burschen gerne in Arbeit. Nach etlichen Monaten hieß es jedoch wieder: »Lieber Gesell, ich kann dich nun nicht länger behalten, du hast Feierabend.« Zum Abschied sprach das Männlein: »Ich schenkte dir gerne auch, wie deinen Brüdern, ein schönes Andenken, aber was würde dir das helfen, da sie dich den Dummen nennen? Dein langer Bruder und dein dicker Bruder sind durch ihre Dummheit um die Gaben gekommen, was würde es erst bei dir werden? Doch nimm dieses schlichte Säcklein; es kann dir sehr nützlich werden. So oft du zu ihm sagen wirst: Knüppel aus dem Sack! – so oft wird ein darin steckender wohlgedrehter Prügel herausfahren zu deinem Schutz, deiner Wehr und Hilfe, und dieser wird so lange ausprügeln, bis du gebieten wirst: Knüppel in den Sack!«

Der Drechsler bedankte sich schön und zog mit seinem Säcklein heimwärts; er bedurfte jedoch auf seiner Reise der Schutzwehr erst lange nicht, denn jedermann ließ ihn, der leicht und lustig seine Straße zog, ungehindert fürbaß wandern. Nur manchmal einem gestrengen Herrn Bettelvogt gab er einiges aus dem Säcklein zu kosten, oder den Dorfhunden, die aus allen Höfen herausfahren und den Wanderer an- und nachbellen. So kam er denn endlich bis an jene Herberge, wo der arge Wirt seine Brüder um das Ihrige betrogen hatte und jetzt herrlich und in Freuden lebte, aber dennoch immer ein Gelüst hatte, sich vom Gut der Reisenden etwas anzueignen. Beim Schlafengehen gab der Drechsler dem Wirt den Sack in Verwahrung und warnte ihn, er

möge ja nicht zu diesem Säcklein sagen: »Knüppel aus dem Sack!«
denn damit habe es eine besondere Bewandtnis, und könne einer,
wenn er das sage, wohl etwas davontragen. Jedoch dem Wirt gefiel
sein Tischlein und Eselein zu wohl, als daß er nicht noch ein
drittes wundertuendes Gegenständlein hätte so heimlich wegfan-
gen mögen; er konnte kaum die Zeit erwarten, bis der Gast sich zur
Ruhe gelegt hatte, um zu sprechen: »Knüppel aus dem Sack!« Und
im Nu fuhr der Knüppel heraus und wirbelte wie ein Trommel-
schläger auf des Wirtes Rücken, prügelte fort und fort und
prügelte den Wirt dermaßen braun und blau, daß dieser ein
jämmerliches Geschrei erhub und heulend den Drechslergesellen
munter rief. Dieser sagte: »Wirt, das geschieht dir recht! Ich warnte
dich ja. Du hast meinen Brüdern das ›Tischlein decke dich‹ und
das ›Eselein strecke dich‹ gestohlen.« Der Wirt kreischte: »Ach,
helft mir nur um Gottes willen! Ich werde umgebracht!« (Denn
der Knüppel arbeitete noch immer rastlos auf des Wirts Rücken.)
»Ich will alles wieder herausgeben, das Tischlein und das Eselein!
Ach, ich falle um und bin tot!«

Jetzt gebot der Geselle: »Knüppel in den Sack!« und da kroch
das Prügelein im Nu wieder in den Sack. Und der Wirt war nur
froh, daß er sein Leben davongebracht, und gab willig das
Tischlein und das Eselein wieder heraus. Da packte der Drechsler
seinen Kram zusammen, lud sein Bündel und sich selbst auf den
Esel und trabte dem Heimatstädtlein zu. Da war keine geringe
Freude bei den Brüdern, als sie die überaus wertvollen Geschenke
und Andenken wieder gewonnen sahen, die jetzt gerade noch so
herrlich ihre Wunder taten wie ehemals – wieder gewonnen durch
den, den sie immer den Dummen gescholten hatten und der doch
klüger war wie sie. Und die Brüder blieben zusammen bei den
Eltern und brauchten nicht mehr zu arbeiten, um vom Verdienst
das tägliche Brot zu schaffen, denn sie hatten von nun an von
allem, was das menschliche Leben bedarf, die Hülle und die Fülle.

134

Goldener

or langen Jahren hat einmal in einem dichten Wald ein armer Hirte gelebt, der hatte sich ein bretternes Häuschen mitten im Wald erbaut, darin wohnte er mit seinem Weib und sechs Kindern, die waren alle Knaben. An dem Hause war ein Ziehbrunnen und Gärtlein, und wenn der Vater das Vieh fütterte, so gingen die Kinder hinaus und brachten ihm zu Mittag oder zu Abend einen kühlen Trunk aus dem Brunnen oder ein Gericht aus dem Gärtlein.

Den jüngsten Knaben riefen die Eltern nur: »Goldener«, denn seine Haare waren wie Gold, und obgleich der jüngste, so war er doch der stärkste von allen und auch der größte. So oft die Kinder hinaus in die Flur gingen, so ging Goldener mit einem Baumzweig voran, anders wollte keins gehen, denn jedes fürchtete sich, zuerst auf ein Abenteuer zu stoßen; ging aber Goldener voran, so folgten sie freudig eins hinter dem andern nach durch das dunkelste Dickicht, und wenn auch schon der Mond über dem Gebirge stand.

Eines Abends ergötzten sich die Knaben auf dem Rückwege vom Vater mit Spielen im Walde, und Goldener hatte sich vor allen so sehr im Spiele ereifert, daß er so hell aussah, wie das Abendrot.

»Laßt uns zurückgehen!« sprach der Älteste – »es scheint dunkel zu werden.«

»Seht da, der Mond!« sprach der zweite.

Da kam es auf einmal licht zwischen den dunklen Tannen hervor, und eine Frauengestalt, leuchtend wie der Mond, setzte sich auf einen der moosigen Steine, spann mit einer kristallenen Spindel einen lichten Faden in die Nacht hinaus, nickte mit dem Haupte gegen Goldener und sang:

135

»Der weiße Fink, die goldne Ros',
Die Königin im Meeresschoß!«

Sie hätte wohl noch weiter gesungen, da brach ihr der Faden, und sie erlosch wie ein Licht. Nun war es ganz Nacht, die Kinder faßte ein Grausen, sie sprangen mit kläglichem Geschrei, das eine dahin, das andere dorthin, über Felsen und Klüfte, und verlor eins das andere.

Wohl viele Tage und Nächte irrte auch Goldener in dem dicken Wald umher, fand aber weder einen seiner Brüder, noch die Hütte seines Vaters, noch sonst die Spur eines Menschen, denn es war der Wald gar dicht verwachsen, ein Berg über den andern gestellt und eine Kluft unter die andere.

Die Brombeeren, welche überall herumrankten, stillten seinen Hunger und Durst, sonst wär' er gar jämmerlich gestorben. Endlich am dritten Tage – andere sagen gar erst am sechsten oder siebenten Tage – wurde der Wald hell und immer heller, und da kam Goldener zuletzt hinaus auf eine schöne grüne Wiese.

Da war es ihm so leicht um das Herz, und er atmete mit vollen Zügen die freie Luft ein.

Auf derselben Wiese waren Garne ausgelegt, denn da wohnte ein Vogelsteller, der fing Vögel, die aus dem Wald flogen, und trug sie in die Stadt zum Kaufe.

»Solch ein Bursche ist mir gerade vonnöten«, dachte der Vogelsteller, als er Goldener erblickte, der auf der grünen Wiese nah an den Garnen stand und in den weiten blauen Himmel hineinsah und sich nicht satt sehen konnte.

Der Vogelsteller wollte sich einen Spaß machen, er zog seine Garne und husch! war Goldener gefangen und lag unter dem Garne ganz erstaunt, denn er wußte nicht, wie das geschehen war. »So fängt man die Vögel, die aus dem Walde kommen« sprach der Vogelsteller laut lachend, »deine roten Federn sind mir eben recht. Du bist wohl ein verschlagener Fuchs? Bleibe bei mir, ich lehre dich auch die Vögel fangen!«

Goldener war gleich dabei, ihm deuchte unter den Vögeln ein gar lustig Leben, zumal er ganz die Hoffnung aufgegeben hatte, die Hütte seines Vaters wiederzufinden.

»Laß erproben, was du gelernt hast«, sprach der Vogelsteller nach einigen Tagen zu ihm. Goldener zog die Garne, und bei dem ersten Zuge fing er einen schneeweißen Finken.

»Packe dich mit diesem weißen Finken!« schrie der Vogelsteller, »du hast es mit dem Bösen zu tun!« und so stieß er ihn gar unsanft von der Wiese, indem er den weißen Finken, den ihm Goldener gereicht hatte, unter vielen Verwünschungen mit den Füßen zertrat.

Goldener konnte die Worte des Vogelstellers nicht begreifen, er ging traurig, doch getrost, wieder in den Wald zurück und nahm sich noch einmal vor, die Hütte seines Vaters zu suchen. Tag und Nacht lief er über Felsensteine und alte gefallene Baumstämme, fiel auch gar oft über die schwarzen Wurzeln, die aus dem Boden überall hervorragten.

Am dritten Tage aber wurde der Wald endlich wieder heller, und da kam er hinaus in einen schönen lichten Garten, der war voll der lieblichsten Blumen, und weil Goldener dergleichen noch keine erblickt, blieb er voll Bewunderung stehen. Der Gärtner im Garten erblickte ihn nicht sobald – denn Goldener stand unter den Sonnenblumen, und seine Haare glänzten im Sonnenschein nicht anders als so eine Blume –, als er sprach: »Ha! solch einen Burschen hab' ich gerade vonnöten!« und das Tor des Gartens schloß. Goldener ließ es sich gefallen, denn ihm deuchte unter den Blumen ein gar buntes Leben, zumal da er ganz die Hoffnung aufgegeben hatte, die Hütte seines Vaters wiederzufinden.

»Fort in den Wald!« sprach der Gärtner eines Morgens zu Goldener. »Hol' mir einen wilden Rosenstock, damit ich zahme Rosen darauf pflanze!« Goldener ging und kam mit einem Stock der schönsten goldfarbenen Rosen zurück, die waren auch nicht anders, als hätte sie der geschickteste Goldschmied für die Tafel eines Königs geschmiedet.

»Packe dich mit diesen goldnen Rosen!« schrie der Gärtner, »du hast es mit dem Bösen zu tun.« Und so stieß er ihn gar unsanft aus dem Garten, indem er die goldenen Rosen unter vielen Verwünschungen in die Erde trat.

Goldener konnte die Worte des Gärtners nicht begreifen, doch ging er getrost wieder in den Wald zurück und nahm sich nochmals vor, die Hütte seines Vaters zu suchen.

Er lief Tag und Nacht, von Baum zu Baum, von Fels zu Fels. Am dritten Tage endlich wurde der Wald hell und immer heller, und da kam Goldener hinaus an das blaue Meer; das lag in einer unermeßlichen Weite vor ihm, die Sonne spiegelte sich eben in der kristallenen Fläche, da war es wie fließendes Gold, darauf schwammen schön geschmückte Schiffe mit langen, fliegenden Wimpeln. Einige Fischer hielten in einer zierlichen Barke am Ufer, in die trat Goldener und sah mit Erstaunen in die Helle hinaus.

»Ein solcher Bursch ist uns gerade vonnöten«, sprachen die Fischer, und husch stießen sie vom Lande. Goldener ließ es sich gefallen, denn ihm deuchte bei den Wellen ein goldenes Leben, zumal er ganz die Hoffnung aufgegeben hatte, seines Vaters Hütte wiederzufinden. Die Fischer warfen ihre Netze aus und fingen nichts. »Laß sehen, ob du glücklicher bist!« sprach ein alter Fischer mit silbernen Haaren zu Goldener. Mit ungeschickten Händen senkte Goldener das Netz in die Tiefe, zog und fischte – eine Krone von hellem Golde.

»Triumph!« rief der alte Fischer und fiel Goldener zu Füßen, »ich begrüße dich als unsern König! Vor hundert Jahren versenkte der alte König, welcher keine Erben hatte, sterbend seine Krone in das Meer, und so lange, bis irgend einem Glücklichen das Schicksal bestimmt hätte, die Krone wieder aus der Tiefe zu ziehen, sollte der Thron ohne Nachfolger in Trauer gehüllt bleiben.«

»Heil unserm König!« riefen die Fischer und setzten Goldener die Krone auf. Die Kunde von Goldener und der wiedergefundenen Königskrone erscholl bald von Schiff zu Schiff und über das

Meer weit in das Land hinein. Da war die goldene Fläche bald mit
bunten Nachen besetzt und mit Schiffen, die mit Blumen und
Laubwerk geziert waren; diese begrüßten mit lautem Jubel alle das
Schiff, auf welchem König Goldener stand. Er stand, die helle
Krone auf dem Haupte, am Vorderteile des Schiffs und sah ruhig
der Sonne zu, wie sie im Meer erlosch. Im Abendwinde wehten
seine goldenen Locken.

Siebenschön

s waren einmal in einem Dorfe ein paar arme Leute, die hatten ein kleines Häuschen und nur eine einzige Tochter, die war wunderschön und gut über alle Maßen. Sie arbeitete, fegte, wusch, spann und nähte für sieben, und war so schön wie sieben zusammen, darum ward sie Siebenschön geheißen. Aber weil sie ob ihrer Schönheit immer von den Leuten angestaunt wurde, schämte sie sich und nahm sonntags, wenn sie in die Kirche ging – denn Siebenschön war auch frömmer wie sieben andere, und das war ihre größte Schönheit — einen Schleier vor ihr Gesicht. So sah sie einstens der Königssohn und hatte seine Freude über ihre edle Gestalt, ihren herrlichen Wuchs, so schlank wie eine junge Tanne, aber es war ihm leid, daß er vor dem Schleier nicht auch ihr Gesicht sah, und fragte seiner Diener einen: »Wie kommt es, daß wir Siebenschöns Gesicht nicht sehen?« – »Das kommt daher«, antwortete der Diener, »weil Siebenschön so sittsam ist.« Darauf sagte der Königssohn: »Ist Siebenschön so sittsam zu ihrer Schönheit, so will ich sie lieben mein Leben lang und will sie heiraten. Gehe du hin und bringe ihr diesen goldnen Ring von mir und sage ihr, ich habe mit ihr zu reden, sie solle abends zu der großen Eiche kommen.«

Der Diener tat, wie ihm befohlen war, und Siebenschön glaubte, der Königssohn wolle ein Stück Arbeit bei ihr bestellen, ging daher zur großen Eiche, und da sagte ihr der Prinz, daß er sie lieb habe um ihrer großen Sittsamkeit und Tugend willen und sie zur Frau nehmen wolle. Siebenschön aber sagte: »Ich bin ein armes Mädchen, und du bist ein reicher Prinz, dein Vater würde sehr böse werden, wenn du mich wolltest zur Frau nehmen.« Der Prinz drang aber noch mehr in sie, und da sagte sie endlich, sie wolle sich's bedenken, er solle ihr ein paar Tage Bedenkzeit gönnen. Der Königssohn konnte aber unmöglich ein paar Tage warten, er schickte schon am folgenden Tage Siebenschön ein Paar silberne Schuhe und ließ sie bitten, noch einmal unter die große Eiche zu kommen. Da sie nun kam, so fragte er schon, ob sie sich besonnen habe; sie aber sagte, sie habe noch keine Zeit gehabt, sich zu besinnen, es gebe im Haushalt gar viel zu tun, und sie sei ja doch ein armes Mädchen und er ein reicher Prinz, und sein Vater werde sehr böse werden, wenn er, der Prinz, sie zur Frau nehmen wolle. Aber der Prinz bat von neuem und immer mehr, bis Siebenschön versprach, sich gewiß zu bedenken und ihren Eltern zu sagen, was der Prinz im Willen habe. Als der folgende Tag kam, da schickte der Königssohn ihr ein Kleid, das war ganz von Goldstoff, und ließ sie abermals zu der Eiche bitten. Aber als nun Siebenschön dahin kam und der Prinz wieder fragte, da mußte sie wieder sagen und klagen, daß sie abermals gar zu viel und den ganzen Tag zu tun gehabt und keine Zeit zum Bedenken, und daß sie mit ihren Eltern von dieser Sache auch noch nicht habe reden können, und wiederholte auch noch einmal, was sie dem Prinzen schon zweimal gesagt hatte, daß sie arm, er aber reich sei, und daß er seinen Vater nur erzürnen werde. Aber der Prinz sagte ihr, das alles habe nichts auf sich, sie solle nur seine Frau werden, so werde sie später auch Königin, und da sie sah, wie aufrichtig der Prinz mit ihr es meinte, so sagte sie endlich ja und kam nun jeden Abend zu der Eiche und zu dem Königssohne – auch sollte der König noch nichts davon erfahren. Aber da war am Hofe eine alte häßliche Hofmeisterin, die lauerte dem Königssohn auf, kam hinter sein Geheimnis und sagte es dem Könige an. Der König ergrimmte, sandte Diener aus und ließ das Häuschen, worin Siebenschöns Eltern wohnten, in Brand stecken, damit sie darin anbrenne. Sie tat dies aber nicht, sie sprang, als sie das Feuer merkte, heraus und alsbald in einen leeren Brunnen hinein, ihre Eltern aber, die armen alten Leute, verbrannten in dem Häuschen.

Da saß nun Siebenschön drunten im Brunnen und grämte sich und weinte sehr, konnt's aber zuletzt doch nicht auf die Länge

drunten im Brunnen aushalten, krabbelte herauf, fand im Schutt des Häuschens noch etwas Brauchbares, machte es zu Geld und kaufte dafür Mannskleider, ging als ein frischer Bub an des Königs Hof und bot sich zu einem Bedienten an. Der König fragte den jungen Diener nach dem Namen, da erhielt er die Antwort: »Unglück!« und dem König gefiel der junge Diener also wohl, daß er ihn gleich annahm und auch bald vor allen andern Dienern gut leiden konnte.

Als der Königssohn erfuhr, daß Siebenschöns Häuschen verbrannt war, wurde er sehr traurig, glaubte nicht anders, als Siebenschön sei mit verbrannt, und der König glaubte das auch und wollte haben, daß sein Sohn nun endlich eine Prinzessin heirate, und mußte dieser nun eines benachbarten Königs Tochter freien. Da mußte auch der ganze Hof und die ganze Dienerschaft mit zur Hochzeit ziehen, und für Unglück war das am traurigsten, es lag ihm wie ein Stein auf dem Herzen. Er ritt auch mit hintennach, der Letzte im Zuge, und sang wehklagend mit klarer Stimme:

> »Siebenschön war ich genannt,
> Unglück ist mir jetzt bekannt.«

Das hörte der Prinz von weitem und fiel ihm auf und hielt und fragte: »Ei, wer singt doch da so schön?« – »Es wird wohl mein Bedienter, der Unglück sein«, antwortete der König, »den ich zum Diener angenommen habe.« Da hörten sie noch einmal den Gesang:

> »Siebenschön war ich genannt,
> Unglück ist mir jetzt bekannt.«

Da fragte der Prinz noch einmal, ob das wirklich niemand anders sei als des Königs Diener? Und der König sagte, er wisse es nicht anders.

Als nun der Zug ganz nahe an das Schloß der neuen Braut kam, erklang noch einmal die schöne klare Stimme:

»Siebenschön war ich genannt,
Unglück ist mir jetzt bekannt.«

Jetzt wartete der Prinz keinen Augenblick länger, er spornte sein Pferd und ritt wie ein Offizier längs des ganzen Zugs in gestrecktem Galopp hin, bis er an Unglück kam und Siebenschön erkannte. Da nickte er ihr freundlich zu und jagte wieder an die Spitze des Zuges und zog in das Schloß ein. Da nun alle Gäste und alles Gefolge im großen Saal versammelt war und die Verlobung vor sich gehen sollte, so sagte der Prinz zu seinem künftigen Schwiegervater: »Herr König, ehe ich mit Eurer Prinzessin Tochter mich feierlich verlobe, wollet mir erst ein kleines Rätsel lösen. Ich besitze einen schönen Schrank, dazu verlor ich vor einiger Zeit den Schlüssel, kaufte mir also einen neuen; bald darauf fand ich den alten wieder, jetzt saget mir, Herr König, wessen Schlüssel ich mich bedienen soll?«

»Ei natürlich des alten wieder!« antwortete der König, »das Alte soll man in Ehren halten und es über Neuem nicht hintansetzen.«

»Ganz wohl, Herr König«, antwortete nun der Prinz, »so zürnt mir nicht, wenn ich eure Prinzessin Tochter nicht freien kann, sie ist der neue Schlüssel, und dort steht der alte.« Und nahm Siebenschön an der Hand und führte sie zu seinem Vater, indem er sagte: »Siehe Vater, das ist meine Braut.« Aber der alte König rief ganz erstaunt und erschrocken aus: »Ach lieber Sohn, das ist ja Unglück, mein Diener!« – Und viele Hofleute schrien: »Herr Gott, das ist ja ein Unglück!« – »Nein!« sagte der Königssohn, »hier ist gar kein Unglück, sondern hier ist Siebenschön, meine liebe Braut.« Und nahm Urlaub von der Versammlung und führte Siebenschön als Herrin und Frau auf sein schönstes Schloß.

Goldener, zu Seite 138

Des kleinen Hirten Glückstraum

s war einmal ein sehr armer Bauersmann, der war in einem Dörflein Hirte, und das schon seit vielen Jahren. Seine Familie war klein, er hatte ein Weib und nur ein einziges Kind, einen Knaben. Doch diesen hatte er sehr früh-zeitig mit hinaus auf die Weide genommen und ihm die Pflichten eines treuen Hirten eingeprägt, und so konnte er, als nur einigermaßen der Knabe herangewachsen war, sich ganz auf denselben verlassen, konnte ihm die Herde allein anvertrauen und konnte unterdessen daheim noch einige Dreier mit Körbeflechten verdienen. Der kleine Hirte trieb seine Herde munter hinaus auf die Triften und Raine; er pfiff oder sang manch helles Liedlein und ließ dazwischen gar laut seine Hirtenpeitsche knallen; dabei wurde ihm keine Zeit lang. Des Mittags lagerte er sich gemächlich neben seine Herde, aß sein Brot und trank aus der Quelle dazu, und dann schlief er auch wohl ein Weilchen, bis es Zeit war weiter zu treiben. Eines Tages hatte sich der kleine Hirte unter einen schattigen Baum zur Mittagsruhe gelagert, schlief ein und träumte einen gar wunderlichen Traum: Er reise fort, gar unendlich weit fort, – ein lautes Klingen, wie wenn unaufhörlich eine Masse Münzen zu Boden fielen – ein Donnern, wie wenn unaufhörliche Schüsse knallten – eine end-lose Schar Soldaten mit Waffen und in blitzenden Rüstungen – das alles umkreisete, umschwirrte, umtosete ihn. Dabei wanderte er immer zu und stieg immer bergan, bis er endlich oben auf der Höhe war, wo ein Thron aufgebaut war, darauf er sich setzte, und neben ihm war noch ein Platz, auf dem ein schönes Weib, welches plötzlich erschien, sich niederließ. Nun richtete sich im Traum der kleine Hirte empor und sprach ganz ernst und feierlich: »Ich bin König von Spanien.« Aber in demselben Augenblick wachte er auf. Nachdenklich über seinen sonderbaren Traum trieb der

Kleine seine Herde weiter, und des Abends erzählte er daheim seinen Eltern, die vor der Türe saßen und Weiden schnitzten und wo er ihnen auch half, seinen wunderlichen Traum, und sprach zum Schluß: »Wahrlich, wenn ich noch einmal so träume, gehe ich fort nach Spanien und will doch einmal sehen, ob ich nicht König werde!« – »Dummer Junge«, murmelte der alte Vater, »dich macht man zum König, laß dich nicht auslachen!« Und seine Mutter kicherte weidlich und klatschte in die Hände und wiederholte ganz verwundert: »König von Spanien, König von Spanien!«

Am andern Tag zu Mittag lag der kleine Hirte zeitig unter jenem Baume, und, o Wunder! derselbe Traum umfing wieder seine Sinne. Kaum hielt es ihn bis zum Abend auf der Hut, er wäre gern nach Hause gelaufen und wäre aufgebrochen zur Reise nach Spanien. Als er endlich heimtrieb, verkündete er seinen abermaligen Traum und sprach: »Wenn mir aber noch einmal so träumt, so gehe ich auf der Stelle fort, gleich auf der Stelle.«

Am dritten Tage lagerte er sich denn wieder unter jenen Baum, und ganz derselbe Traum kam zum dritten Male wieder. Der Knabe richtete sich im Traume empor und sprach: »Ich bin König von Spanien«, und darüber erwachte er wieder, raffte aber auch sogleich Hut und Peitsche und Brotsäcklein von dem Lager auf, trieb die Herde zusammen und geraden Wegs nach dem Dorfe zu. Da fingen die Leute an mit ihm zu zanken, daß er so bald und so lange vor der Vesperzeit eintreibe, aber der Knabe war so begeistert, daß er nicht auf das Schelten der Nachbarn und der eigenen Eltern hörte, sondern seine wenigen Kleidungsstücke, die er des Sonntags trug, in einen Bündel schnürte, denselben an ein Nußholzstöcklein hing, über die Achsel nahm und so mir nichts dir nichts fortwanderte. Gar flüchtig war der Knabe auf den Beinen; er lief so rasch, als sollte er noch vor Nacht in Spanien eintreffen. Doch erreichte er nur an diesem Tage einen Wald; nirgends war ein Dorf oder ein einzelnes Haus; und er beschloß, in diesem Wald in einem dichten Busch sein Nachtlager zu suchen. Kaum

146

hatte er aber zur Ruhe sich niedergelegt und war entschlummert, als ein Geräusch ihn wieder erweckte. Es zog eine Schar Männer in lautem Gespräch an dem Busch vorüber, in welchen er sich gebettet. Leise machte der Knabe sich hervor und ging den Männern in einer kleinen Entfernung nach und dachte, vielleicht findest du doch noch eine Herberge; wo diese Männer heute schlafen, kannst du gewiß auch schlafen. – Gar nicht lange waren sie weiter gewandert, als ein ziemlich ansehnliches Haus vor ihnen stand, aber so recht mitten im dunkeln Wald. Die Männer klopften an, es wurde aufgetan und neben den Männern schlüpfte auch der Hirtenknabe mit hinein in das Haus. Drinnen öffnete sich wieder eine Türe, und alle traten in ein großes, sehr spärlich erhelltes Zimmer, wo auf dem Fußboden umher viele Strohbunde, Betten und Deckbetten lagen, die zum Nachtlager der Männer bereit gehalten schienen. Der kleine Hirtenbub verkroch sich schnell unter einen Strohhaufen, welcher nahe an der Türe aufgeschichtet war, und lauschte nun auf alles, was er nur aus seinem Versteck hören und wahrnehmen konnte. Bald kam er dahinter, denn er war ohnehin klug und aufgeweckt, daß diese Männerschar eine Räuberbande sei, deren Hauptmann der Herr dieses Hauses war. Dieser bestieg, als die neu angelangten Mitglieder der Bande sich hingelagert hatten, einen etwas erhöhten Sitz und sprach mit tiefer Baßstimme: »Meine braven Genossen, tut mir Bericht von eurem heutigen Tagewerk, wo ihr eingebrochen seid, und was ihr erbeutet habt!« Da richtete sich zuerst ein langer Mann mit kohlschwarzem Bart empor und antwortete: »Mein lieber Hauptmann, ich habe heute früh einen reichen Edelmann seiner ledernen Hose beraubt, diese hat zwei Taschen, und so oft man sie unterst oberst kehrt und tüchtig schüttelt, so oft fällt ein Häuflein Dukaten heraus auf den Boden.« – »Das klingt sehr gut!« sprach der Hauptmann. Ein anderer der Männer trat auf und berichtete: »Ich habe heute einem General seinen dreieckigen Hut gestohlen; dieser Hut hat die Eigenschaft, wenn man ihn auf den Kopf dreht, daß unaufhörlich aus den drei Ecken Schüsse knallen.« – »Das läßt sich hören!« sprach der Hauptmann wieder. Und ein dritter richtete sich auf und sprach: »Ich habe einen Ritter seines Schwertes beraubt; so man dasselbe mit der Spitze in die Erde stößt, ersteht augenblicklich ein Regiment Soldaten.« – »Eine tapfere Tat!« belobte der Hauptmann. Ein vierter Räuber erhob sich nun und begann: »Ich habe einem schlafenden Reisenden seine Stiefel abgezogen, und wenn man diese anzieht, legt man mit jedem Schritt sieben Meilen zurück.« – »Rasche Tat lobe ich!« sprach der Hauptmann zufrieden, »hänget eure Beute an die Wand, und dann esset und trinket und schlafet wohl.« Somit verließ er das Schlafzimmer der Räuber; diese zechten noch weidlich und fielen dann in festen Schlaf. Als alles stille und ruhig war und die Männer allesamt schliefen, machte sich der kleine Hirte hervor, zog die ledernen Hosen an, setzte den Hut auf, gürtete das Schwert um, fuhr in die Stiefel und schlich dann leise aus dem Haus. Draußen aber zeigten die Stiefel zur Freude des Kleinen schon ihre Wunderkraft, und es währte gar nicht lange, so schritt das Bürschchen zur großen Residenzstadt Spaniens hinein; sie heißt Madrid.

Hier fragte er den ersten besten, der ihm aufstieß, nach dem größesten Gasthof, aber er erhielt zur Antwort: »Kleiner Wicht, geh' du hin, wo deinesgleichen einkehrt, und nicht, wo reiche Herren speisen.« Doch ein blankes Goldstück machte jenen gleich höflicher, so daß er nun gerne der Führer des kleinen Hirten wurde und ihm den besten Gasthof zeigte. Dort angelangt, mietete der Jüngling sogleich die schönsten Zimmer und fragte freundlich seinen Wirt: »Nun, wie steht es in eurer Stadt? Was gibt es hier Neues?« Der Wirt zog ein langes Gesicht und antwortete: »Herrlein, Ihr seid hierzuland wohl fremd? Wie es scheint, habt Ihr noch nicht gehört, daß unser König, Majestät, sich rüstet mit einem Heer von zwanzigtausend Mann? Seht, wir haben Feinde; o es ist gar eine schlimme Zeit! Herrlein, wollt Ihr auch etwa unters Militär gehen?« – »Freilich, freilich«, sprach der zarte Jüngling, und sein Gesicht glänzte vor Freude.

148

Als der Wirt sich entfernt hatte, zog er flugs seine ledernen Hosen aus, schüttelte sich ein Häuflein Goldstücke und kaufte sich kostbare Kleider und Waffen und Schmuck, tat alles an und ließ dann beim König um eine Audienz bitten. Und wie er in das Schloß kam und von zwei Kammerherren durch einen großen herrlichen Saal geführt wurde, begegnete ihnen eine wunderliebliche junge Dame, die sich anmutig vor dem schönen Jüngling, der in der Mitte der Herren ging und sie zierlich grüßte, verneigte, und die Herren flüsterten: »Das ist die Prinzessin, Tochter des Königs.«

Der junge Mann war nicht wenig von der Schönheit der Königstochter entzückt, und seine Entzückung und Begeisterung ließen ihn keck und mutvoll vor dem Könige reden. Er sprach: »Königliche Majestät! Ich biete hiermit untertänigst meine Dienste als Krieger an. Mein Heer, das ich Euch zuführe, soll Euch den Sieg erfechten, mein Heer soll alles erobern, was mein König zu erobern befiehlt. Aber eine Belohnung bitte ich mir aus, daß

ich, wofern ich den Sieg davontrage, Eure holde Tochter als
Gemahlin heimführen dürfe. Wollt Ihr das, mein gnädigster
König?« Und der König erstaunte ob der kühnen Rede des
Jünglings und sprach: »Wohl, ich gehe in deine Forderung ein;
kehrst du heim als Sieger, so will ich dich als meinen Nachfolger
einsetzen und dir meine Tochter zur Gemahlin geben.«

Jetzt begab sich der ehemalige Hirte ganz allein hinaus auf das
freie Feld und begann sein Schwert drauf und drein in die Erde zu
stoßen, und in wenigen Minuten standen viele Tausende kampfge-
rüsteter Streiter auf dem Platz, und der Jüngling saß als Feldherr
kostbar bewaffnet und geschmückt auf einem herrlichen Roß,
welches mit goldgewirkten Decken behangen war; der Zaum
blitzte von Edelsteinen, und der junge Feldherr zog aus und dem
Feind entgegen, da gab es eine große, blutige Schlacht; aus dem
Hut des Feldherrn donnerten unaufhörlich tödliche Schüsse, und
das Schwert desselben rief ein Regiment nach dem andern aus der
Erde hervor, so daß in wenigen Stunden der Feind geschlagen und
zerstreut war, und die Siegesfahnen wehten. Der Sieger aber folgte
nach und nahm dem Feinde auch noch den besten Teil seines
Landes hinweg. Siegreich und glorreich kehrte er dann zurück
nach Spanien, wo ihn das holdeste Glück noch erwartete. Die
schöne Königstochter war nicht minder entzückt von dem
schmucken Jüngling gewesen, wie sie ihm im Saale begegnet war,
als er von ihr; und der gnädigste König wußte die sehr großen
Verdienste des tapfern Jünglings auch gebührend zu schätzen,
hielt sein Wort, gab ihm seine Tochter zur Gemahlin und machte
ihn zu seinem Nachfolger und Thronerben.

Die Hochzeit wurde prunkvoll und glänzend vollzogen, und
der ehemalige Hirte saß ganz im Glück. Bald nach der Hochzeit
legte der alte König Krone und Zepter in die Hände seines
Schwiegersohns, der saß stolz auf dem Thron und neben ihm
seine holde Gemahlin, und es wurde ihm, als dem neuen König,
von seinem Volke Huldigung gebracht. Da gedachte er seines so
schön erfüllten Traumes und gedachte seiner armen Eltern und

sprach, als er wieder allein bei seiner Gemahlin war: »Meine Liebe, sieh, ich habe noch Eltern, aber sie sind sehr arm, mein Vater ist Dorfhirte weit von hier, und ich selbst habe als Knabe das Vieh gehütet, bis mir durch einen wunderbaren Traum offenbart wurde, daß ich noch König von Spanien werde. Und das Glück war mir hold, sieh, ich bin nun König, aber meine Eltern möcht ich auch gern noch glücklich sehen, daher ich mit deiner gütigen Zustimmung nach Hause reisen und die Eltern holen will.« Die Königin war's gerne zufrieden und ließ ihren Gemahl ziehen, der sehr schnell zog, weil er die Siebenmeilenstiefel anhatte. Unterwegs stellte der junge König die Wunderdinge, die er den Räubern abgenommen, ihren rechtmäßigen Eigentümern wieder zu, bis auf die Stiefel, holte seine armen Eltern, die vor Freude ganz außer sich waren, und dem Eigentümer der Stiefel gab er für dieselben ein Herzogtum. Dann lebte er glücklich und würdiglich als König von Spanien bis an sein Ende.

Der Mönch und das Vögelein

s war in einem Kloster ein junger Mönch des Namens Urbanus, gar fromm und fleißig, dem war der Schlüssel zur Bücherei des Klosters anvertraut, und er hütete sorglich diesen Schatz, schrieb selbst manches schöne Buch und studierte viel in den andern Büchern und in der Heiligen Schrift. Da fand er auch einen Spruch des Apostels Petrus, der lautet: Vor Gott sind tausend Jahre wie ein Tag und wie eine Nachtwache. Das dünkte dem jungen Mönch schier unmöglich, mocht' und konnte es nicht glauben und quälte sich darob mit schweren Zweifeln.

Da geschah es eines Morgens, daß der Mönch herunterging aus dem dumpfen Bücherzimmer in den hellen schönen Klostergarten, da saß ein kleines, buntes Waldvögelein im Garten, das suchte Körnlein, flog auf einen Ast und sang schön wie eine Nachtigall. Es war auch dieses Vögelein gar nicht scheu, sondern ließ den Mönch nahe an sich herankommen, und er hätte es gern gehascht, doch entfloh es von einem Ast zum andern, und der Mönch folgte ihm eine gute Weile nach, dann sang es wieder mit lauter und heller Stimme, aber es ließ sich nicht fangen, obschon der junge Mönch das Vögelein aus dem Klostergarten heraus in den Wald noch eine gute Weile verfolgte.

Endlich ließ er ab und kehrte zurück nach dem Kloster, aber ein anderes dünkte ihm alles, was er sah. Alles war weiter, größer und schöner geworden, die Gebäude, der Garten, und statt des niedern alten Klosterkirchleins stand jetzt ein stolzes Münster da mit drei Türmen. Das dünkte dem Mönch sehr seltsam, ja zauberhaft.

Und als er an das Klostertor kam und mit Zagen die Schelle zog, da trat ihm ein ihm gänzlich unbekannter Pförtner entgegen, der wich bestürzt zurück vor ihm. Nun wandelte der Mönch über den Klosterkirchhof, auf dem waren so viele, viele Denksteine, die er

gesehen zu haben sich nicht erinnern konnte. Und als er nun zu den Brüdern trat, wichen sie alle vor ihm aus, ganz entsetzt. Nur der Abt, aber nicht sein Abt, sondern ein anderer, junger, hielt ihm stand, streckte ihm aber auch gleich ein Kruzifix entgegen und rief: »Im Namen des Gekreuzigten, Gespenst, wer bist du? Und was suchst du, der den Höhlen der Toten entflohen, bei uns, den Lebenden?«

Da schauerte der Mönch zusammen und wankte, wie ein Greis wankt, und senkte den Blick zur Erde. Siehe, da hatte er einen langen, silberweißen Bart bis über den Gürtel herab, an dem noch der Schlüsselbund hing zu den vergitterten Bücherschreinen. Den Mönchen dünkte der Mann ein wunderbarer Fremdling, und sie leiteten ihn mit scheuer Ehrfurcht zum Sessel des Abtes. Dort gab er einem jungen Mönch die Schlüssel zu dem Büchersaal, der schloß auf und brachte ein Chronikbuch getragen, darin stand zu lesen, daß vor dreihundert Jahren der Mönch Urban spurlos verschwunden sei, niemand wisse, ob entflohen oder verunglückt.

»O Waldvögelein, war das dein Lied?« fragte der Fremdling mit einem Seufzer. »Kaum drei Minuten lang folgte ich dir und horchte deinem Gesang, und drei Jahrhunderte vergingen seitdem! Du hast mir das Lied von der Ewigkeit gesungen, die ich nicht fassen konnte! Nun fasse ich sie und bete Gott an im Staube, selbst ein Staub!«

Sprach's und neigte sein Haupt, und sein Leib zerfiel in ein Häuflein Asche.

Die sieben Geißlein

s ist einmal eine alte Geiß gewesen, die hatte sieben junge Zicklein, und wie sie einmal fort in den Wald wollte, hat sie gesagt: »Ihr lieben Zicklein, nehmt euch in acht vor dem Wolf und laßt ihn nicht herein, sonst seid ihr alle verloren.« Darnach ist sie fortgegangen.

In einer Weile rappelt etwas wieder an der Haustüre und ruft: »Macht auf, macht auf, liebe Kinder! Euer Mütterlein ist aus dem Wald gekommen!« Aber die sieben Geißlein erkannten's gleich an der groben Stimme, daß das ihr Mütterlein nicht war und haben gerufen: »Unser Mütterlein hat keine so grobe Stimme!« Und haben nicht aufgemacht.

Nach einer Weile rappelt's wieder an der Türe und ruft ganz fein und leise: »Macht auf, macht auf, ihr lieben Kinder! Euer Mütterlein ist aus dem Walde kommen!«

Aber die jungen Geißlein guckten durch die Türspalte und haben ein paar schwarze Füße gesehen und gerufen: »Unser Mütterlein hat keine so schwarzen Füße!« Und haben nicht aufgemacht.

Wie das der Wolf, denn er war es, gehört hat, ist er geschwind hin in die Mühle gelaufen und hat die Füße ins Mehl gesteckt, daß sie ganz weiß worden sind. Danach ist er wieder vor die Türe gekommen, hat die Füße zur Spalte hineingesteckt und hat wieder ganz leise gerufen: »Macht auf, macht auf, ihr lieben Kinder! Euer Mütterlein ist aus dem Walde kommen!«

Und wie die Geißlein die weißen Füße gesehen haben und die leise Stimme gehört, da haben sie ja gemeint, ihr Mütterlein sei's, und haben geschwind aufgemacht. Aber kaum haben sie aufgemacht gehabt, so ist der Wolf hereingesprungen. Ach, wie sind da die armen Geißlein erschrocken und haben sich verstecken wollen! Eins ist unters Bett, eines unter den Tisch, eins hinter den

Ofen, eins hinter einen Stuhl, eins hinter einen großen Milchtopf und eins in den Uhrkasten gesprungen. Aber der Wolf hat sie alle gefunden und zusammengebracht. Hernach ist er fortgegangen, hat sich in den Garten unter einen Baum gelegt und hat angefangen zu schlafen.

Wie hernach die alte Geiß aus dem Walde zurückgekommen ist, hat sie das Haus offen gefunden und die Stube leer, da hat sie gleich gedacht, jetzt ist's nicht geheuer, und hat angefangen ihre lieben Zicklein zu suchen, sie hat sie aber nicht finden können, wo sie auch gesucht hat, und so laut sie auch gerufen hat, es hat keins Antwort gegeben. Endlich ist sie in den Garten gegangen, da hat der Wolf noch gelegen unterm Baum und hat geschlafen und hat geschnarcht, daß alle Äste gezittert haben; und wie sie näher zu ihm gekommen ist, hat sie gesehen, daß etwas in seinem Bauch gezappelt hat. Da hatte sie eine Freude und dachte, ihre Geißlein leben wohl noch. Jetzt ist sie geschwind hinein ins Häuslein gesprungen, hat eine Schere geholt und hat dem Wolf den Bauch aufgeschnitten, da sind ihre sieben Geißlein eins nach dem andern herausgesprungen und haben alle noch gelebt. Darnach hat die

Alte geschwind sieben Wackersteine geholt, hat sie in den Wolf seinen Bauch gesteckt, und hat den wieder zugenäht.

Wie der Wolf munter wurde, hatte er Durst und ist an den Brunnen gegangen, um zu trinken, aber wie er einen Schritt gegangen ist, da haben die Wackersteine in seinem Bauch angefangen, zusammenzuschlagen, und da hat er gesagt:

> »Was rumpelt, was pumpelt
> In meinem Bauch?
> Ich hab’ gemeint, ich hab’ junge Geißlein drein,
> Und jetzt sind’s nichts als Wackerstein’!«

Und wie nun der Wolf an den Brunnen gekommen ist und hat trinken wollen, so haben ihn die Wackersteine hineingezogen und er ist ersoffen. Und die alte Geiß ist mit ihren Zicklein vor Freude um den Brunnen herumgetanzt.

Die drei Hunde

in Schäfer hinterließ seinen beiden Kindern, einem Sohn und einer Tochter, nichts als drei Schafe und ein Häuschen, und sprach auf seinem Totenbette: »Teilt euch geschwisterlich darein, daß nicht Hader und Zank zwischen euch entstehe.« Als der Schäfer nun gestorben war, fragte der Bruder die Schwester, welches sie lieber wolle, die Schafe oder das Häuschen? Und als sie das Häuschen wählte, sagte er: »So nehm' ich die Schafe und gehe in die weite Welt: es hat schon mancher sein Glück gefunden, und ich bin ein Sonntagskind.« Er ging darauf mit seinem Erbteil fort; das Glück wollte ihm jedoch lange nicht begegnen.

Einst saß er recht verdrießlich an einem Kreuzweg, ungewiß, wohin er sich wenden wollte; auf einmal sah er einen Mann neben sich, der hatte drei schwarze Hunde, von denen der eine immer größer als der andere war. »Ei, junger Gesell«, sagte der Mann, »Ihr habt da drei schöne Schafe. Wißt Ihr was, gebt mir die Schafe, ich will Euch meine Hunde dafür geben.« Trotz seiner Traurigkeit mußte jener lachen. »Was soll ich mit Euren Hunden tun?« fragte er; »meine Schafe ernähren sich selbst, die Hunde aber wollen gefüttert sein.« – »Meine Hunde sind von absonderlicher Art«, antwortete der Fremde, »sie ernähren Euch, statt Ihr sie und werden Euer Glück machen. Der kleinere da heißt ›bring Speisen‹, der zweite ›zerreiß'n‹, und der große starke ›brich Stahl und Eisen‹«. Der Schäfer ließ sich endlich beschwatzen und gab seine Schafe hin. Um die Eigenschaft seiner Hunde zu prüfen, sprach er: »Bring Speisen!« und alsbald lief der eine Hund fort und kam zurück mit einem großen Korb voll der herrlichsten Speisen. Den Schäfer gereuete nun der Tausch nicht; er ließ sich's wohl sein und zog lange im Lande umher.

Einst begegnete ihm ein Wagen mit zwei Pferden bespannt und ganz mit schwarzen Decken bekleidet, und auch der Kutscher war schwarz angetan. In dem Wagen saß ein wunderschönes Mädchen in einem schwarzen Gewande, das weinte bitterlich. Die Pferde trabten traurig und langsam und hingen die Köpfe. »Kutscher, was bedeutet das?« fragte der Schäfer. Der Kutscher antwortete unwirsch, jener aber ließ nicht nach zu fragen, bis der Kutscher erzählte, es hause ein großer Drache in der Gegend, dem habe man, um sich vor seinen Verwüstungen zu sichern, eine Jungfrau als jährlichen Tribut versprechen müssen, die er mit Haut und Haar verschlinge. Das Los entscheide allemal unter den vierzehn-jährigen Jungfrauen, und diesmal habe es die Königstochter betroffen. Darüber sei der König und das ganze Land in tiefster Betrübnis, und doch müsse der Drache sein Opfer erhalten. Der Schäfer fühlte Mitleid mit dem schönen jungen Mädchen und folgte dem Wagen. Dieser hielt endlich an einem hohen Berge. Die Jungfrau stieg aus und schritt langsam ihrem schrecklichen Schicksal entgegen. Der Kutscher sah nun, daß der fremde Mann ihr folgen wollte, und warnte ihn; der Schäfer ließ sich jedoch nicht abwendig machen. Als sie die Hälfte des Berges erstiegen hatten, kam vom Gipfel herab ein schreckliches Untier mit einem Schuppenleib, Flügeln und ungeheuren Krallen an den Füßen; aus seinem Rachen loderte ein glühender Schwefelstrom, und schon wollte es sich auf seine Beute stürzen, da rief der Schäfer: »Zerreiß'n!« und der zweite seiner Hunde stürzte sich auf den Drachen, biß sich in der Weiche desselben fest und setzte ihm so zu, daß das Ungeheuer endlich niedersank und sein giftiges Leben aushauchte. Der Hund aber fraß ihn völlig auf, daß nichts übrig blieb als ein paar Zähne, die steckte der Schäfer zu sich. Die Königstochter war ganz ohnmächtig vor Schreck und vor Freude, der Schäfer erweckte sie wieder zum Leben, und nun sank sie ihrem Retter zu Füßen und bat ihn flehentlich, mit zu ihrem Vater zu kommen, der ihn reich belohnen werde. Der Jüngling antwor-tete, er wolle sich erst in der Welt umsehen, nach drei Jahren aber

wiederkommen. Und bei diesem Entschluß blieb er. Die Jungfrau setzte sich wieder in den Wagen, und der Schäfer ging eines andern Weges fort.

Der Kutscher aber war auf böse Gedanken gekommen. Als sie über eine Brücke fuhren, unter der ein großer Strom floß, hielt er still, wandte sich zur Königstochter und sprach: »Euer Retter ist fort und begehrt Eures Dankes nicht. Es wäre schön von Euch, wenn Ihr einen armen Menschen glücklich machtet. Saget deshalb Eurem Vater, daß ich den Drachen umgebracht habe; wollt Ihr aber das nicht, so werf ich Euch hier in den Strom, und niemand wird nach Euch fragen, denn es heißt, der Drache habe Euch verschlungen.« Die Jungfrau wehklagte und flehte, aber vergeblich; sie mußte endlich schwören, den Kutscher für ihren Retter auszugeben und keiner Seele das Geheimnis zu verraten. So fuhren sie in die Stadt zurück, wo alles außer sich vor Entzücken war; die schwarzen Fahnen wurden von den Türmen genommen und bunte daraufgesteckt, und der König umarmte mit Freudentränen seine Tochter und ihren vermeintlichen Retter.

»Du hast nicht nur mein Kind, sondern das ganze Land von einer großen Plage errettet«, sprach er. »Darum ist es auch billig, daß ich dich belohne. Meine Tochter soll deine Gemahlin werden; da sie aber noch allzu jung ist, so soll die Hochzeit erst in einem Jahre sein.«

Der Kutscher dankte, ward prächtig gekleidet, zum Edelmanne gemacht und in allen feinen Sitten, die sein nunmehriger Stand erforderte, unterwiesen. Die Königstochter aber erschrak heftig und weinte bitterlich, als sie dies vernahm, und wagte doch nicht, ihren Schwur zu brechen. Als das Jahr um war, konnte sie nichts erreichen, als die Frist noch eines Jahres. Auch dies ging zu Ende, und sie warf sich dem Vater zu Füßen und bat um noch ein Jahr, denn sie dachte an das Versprechen ihres wirklichen Erretters. Der König konnte ihrem Flehen nicht widerstehen und gewährte ihr die Bitte, mit dem Zusatz jedoch, daß dies die letzte Frist sei, die er ihr gestatte. Wie schnell verrann die Zeit! Der Trauungstag war nun festgesetzt, auf den Türmen wehten rote Fahnen, und das ganze Volk war im Jubel.

An demselben geschah es, daß ein Fremder mit drei Hunden in die Stadt kam. Der fragte nach der Ursache der allgemeinen Freude und erfuhr, daß die Königstochter eben mit dem Manne vermählt werde, der den schrecklichen Drachen erschlagen. Der Fremde schalt diesen Mann einen Betrüger, der sich mit fremden Federn schmücke. Aber er wurde von der Wache ergriffen und in ein enges Gefängnis mit eisernen Türen geworfen. Als er nun so auf seinem Strohbündel lag und sein trauriges Geschick über-dachte, glaubte er plötzlich draußen das Winseln seiner Hunde zu hören; da dämmerte ein lichter Gedanke in ihm auf. »Brich Stahl und Eisen!« rief er so laut er konnte, und alsbald sah er die Tatzen seines größten Hundes an dem Gitterfenster, durch welches das Tageslicht spärlich in seine Zelle fiel. Das Gitter brach, und der Hund sprang in die Zelle und zerbiß die Ketten, mit denen sein Herr gefesselt war; darauf sprang er wieder hinaus und sein Herr folgte ihm. Nun war er zwar frei, aber der Gedanke schmerzte ihn sehr, daß ein anderer seinen Lohn ernten solle. Es hungerte ihn auch, und er rief seinen Hund an: »Bring Speisen!« Bald darauf kam der Hund mit einer Serviette voll köstlicher Speisen zurück; in die Serviette war eine Königskrone gestickt.

Der König hatte eben mit seinem ganzen Hofstaat an der Tafel gesessen, als der Hund erschienen war und der bräutlichen Jungfrau bittend die Hand geleckt hatte. Mit freudigem Schreck hatte sie den Hund erkannt und ihm die eigene Serviette umge-bunden. Sie sah dies als einen Wink des Himmels an, bat den Vater um einige Worte und vertraute ihm das ganze Geheimnis. Der König sandte einen Boten dem Hunde nach, der bald darauf den Fremden in des Königs Kabinett brachte. Der König führte ihn an der Hand in den Saal; der ehemalige Kutscher erblaßte bei seinem Anblick und bat kniend um Gnade. Die Königstochter erkannte den Fremdling als ihren Retter, der sich noch überdies durch die Drachenzähne, die er noch bei sich trug, auswies. Der

162

Kutscher ward in einen tiefen Kerker geworfen, und der Schäfer nahm seine Stelle an der Seite der Königstochter ein. Diesmal bat sie nicht um Aufschub der Trauung.

Das junge Ehepaar lebte schon eine geraume Zeit in wonniglichem Glück, da gedachte der ehemalige Schäfer seiner armen Schwester und sprach den Wunsch aus, ihr von seinem Glück mitzuteilen. Er sandte auch einen Wagen fort, sie zu holen, und es dauerte nicht lange, so lag sie an der Brust ihres Bruders. Da begann einer der Hunde zu sprechen und sagte: »Unsere Zeit ist nun um; du bedarfst unser nicht mehr. Wir blieben nur so lange bei dir, um zu sehen, ob du auch im Glück deine Schwester nicht vergessen würdest.« Darauf verwandelten sich die Hunde in drei Vögel und verschwanden in den Lüften.

Das Märchen vom Schlaraffenland

ört zu, ich will euch von einem guten Lande sagen, dahin würde mancher auswandern, wüßte er, wo selbes läge und eine gute Schiffsgelegenheit. Aber der Weg dahin ist weit für die Jungen und für die Alten, denen es im Winter zu heiß ist und zu kalt im Sommer. Diese schöne Gegend heißt Schlaraffenland, auf Welsch Cucagna, da sind die Häuser gedeckt mit Eierfladen, und Türen und Wände sind von Lebzelten und die Balken von Schweinebraten. Was man bei uns für einen Dukaten kauft, kostet dort nur einen Pfennig. Um jedes Haus steht ein Zaun, der ist von Bratwürsten geflochten und von bayerischen Würsteln, die sind teils auf dem Rost gebraten, teils frisch gesotten, je nachdem sie einer so oder so gern ißt. Alle Brunnen sind voll Malvasier und andren süßen Weinen, auch Champagner, die rinnen einem nur so in das Maul hinein, wenn man es an die Röhren hält. Wer also gern solche Weine trinkt, der eile sich, daß er in das Schlaraffenland hineinkomme. Auf den Birken und Weiden da wachsen die Semmeln frischbacken, und unter den Bäumen fließen Milchbäche; in diese fallen die Semmeln hinein und weichen sich selbst ein für die, so sie gern einbrocken; das ist etwas für Weiber und für Kinder, für Knechte und Mägde! Holla Gretel, holla Steffel! Wollt ihr nicht mit auswandern? Macht euch herbei zum Semmelbach und vergeßt nicht, einen großen Milchlöffel mitzubringen.

Die Fische schwimmen in dem Schlaraffenlande obendrauf auf dem Wasser, sind auch schon gebacken oder gesotten, und schwimmen ganz nahe am Gestade; wenn aber einer gar zu faul ist und ein echter Schlaraff, der darf nur rufen: bst! bst! – so kommen die Fische auch heraus aufs Land spaziert und hüpfen dem guten Schlaraffen in die Hand, daß er sich nicht zu bücken braucht.

164

Das könnt ihr glauben, daß die Vögel dort gebraten in der Luft herumfliegen, Gänse und Truthähne, Tauben und Kapaunen, Lerchen und Krammetsvögel, und wem es zu viel Mühe macht, die Hand darnach auszustrecken, dem fliegen sie schnurstracks ins Maul hinein. Die Spanferkel geraten dort alle Jahr überaus trefflich; sie laufen gebraten umher, und jedes trägt ein Transchiermesser im Rücken, damit, wer da will, sich ein frisches, saftiges Stück abschneiden kann.

Die Käse wachsen in dem Schlaraffenlande wie die Steine, groß und klein; die Steine selbst sind lauter Taubenkröpfe mit Gefülltem, oder auch kleine Fleischpastetchen. Im Winter, wenn es regnet, so regnet es lauter Honig in süßen Tropfen, da kann einer lecken und schlecken, daß es eine Lust ist, und wenn es schneit, so schneit es klaren Zucker, und wenn es hagelt, so hagelt es Würfelzucker, untermischt mit Feigen, Rosinen und Mandeln.

Im Schlaraffenland legen die Rosse keine Roßäpfel, sondern Eier, große, ganze Körbe voll, und ganze Haufen, so daß man tausend um einen Pfennig kauft. Und das Geld kann man von den Bäumen schütteln, wie Kästen (gute Kastanien). Jeder mag sich das Beste herunterschütteln und das Minderwerte liegen lassen.

In dem Lande hat es auch große Wälder, da wachsen im Buschwerk und auf Bäumen die schönsten Kleider: Röcke, Mäntel, Schauben, Hosen und Wämser von allen Farben, schwarz, grün, gelb, (für die Postillons) blau oder rot, und wer ein neues Gewand braucht, der geht in den Wald und wirft es mit einem Stein herunter, oder schießt mit dem Bolzen hinauf. In der Heide wachsen schöne Damenkleider von Sammet, Atlas, Gros de Naples, Barege, Madras, Taft, Nanking usw. Das Gras besteht aus Bändern von allen Farben, auch schattiert. Die Wacholderstöcke tragen Broschen und goldne Chemisett- und Mantelettnadeln, und ihre Beeren sind nicht schwarz, sondern echte Perlen. An den Tannen hängen Damenuhren und Chatelaines sehr künstlich. Auf den Stauden wachsen Stiefel und Schuhe, auch Herren- und Damenhüte, Reisstrohhüte und Marabouts und allerlei Kopfputz

165

mit Paradiesvögeln, Kolibris, Brillantkäfern, Perlen, Schmelz und Goldborten verziert.

Dieses edle Land hat auch zwei große Messen und Märkte mit schönen Freiheiten. Wer ein alte Frau hat und mag sie nicht mehr, weil sie ihm nicht mehr jung genug und hübsch ist, der kann sie dort gegen eine junge und schöne vertauschen und bekommt noch ein Draufgeld. Die alten und garstigen (denn ein Sprichwort sagt: wenn man alt wird, wird man garstig) kommen in ein Jungbad, damit das Land begnadigt ist, das ist von großen Kräften; darin baden die alten Weiber etwa drei Tage oder höchstens vier, da werden schmucke Dirnlein daraus von siebzehn oder achtzehn Jahren.

Auch viel und mancherlei Kurzweil gibt es in dem Schlaraffen-lande. Wer hierzulande gar kein Glück hat, der hat es dort im Spiel und Lustschießen, wie im Gesellenstechen. Mancher schießt hier alle sein Lebtag nebenaus und weit vom Ziel, dort aber trifft er, und wenn er der allerweiteste davon wäre, doch das Beste. Auch für die Schlafsäcke und Schlafpelze, die hier von ihrer Faulheit arm werden, daß sie Bankrott machen und betteln gehen müssen, ist jenes Land vortrefflich. Jede Stunde Schlafens bringt dort einen Gulden ein und jedesmal Gähnen einen Doppeltaler. Wer im Spiel verliert, dem fällt sein Geld wieder in die Tasche. Die Trinker haben den besten Wein umsonst und von jedem Trunk und Schluck drei Batzen Lohn, sowohl Frauen als Männer. Wer die Leute am besten necken und aufziehen kann, bekommt jeweil einen Gulden. Keiner darf etwas umsonst tun, und wer die größte Lüge macht, der hat allemal eine Krone dafür.

Hierzulande lügt so mancher drauf und drein und hat nichts für diese seine Mühe; dort aber hält man Lügen für die beste Kunst, daher lügen sich wohl in das Land allerlei Prokura-, Dok- und andere toren, Roßtäuscher und die ***r Handwerksleute, die ihren Kunden stets aufreden und nimmer Wort halten.

Wer dort ein gelehrter Mann sein will, muß auf einen Grobian studiert haben. Solcher Studenten gibt's auch bei uns zulande, haben aber keinen Dank davon und keine Ehren. Auch muß er dabei faul und gefräßig sein, das sind drei schöne Künste. Ich kenne einen, der kann alle Tage Professor werden.

Wer gern arbeitet, Gutes tut und Böses läßt, dem ist jedermann dort abhold, und er wird Schlaraffenlandes verwiesen. Aber wer tölpisch ist, gar nichts kann und dabei doch voll dummen Dünkels, der ist dort als ein Edelmann angesehen. Wer nichts kann, als schlafen, essen, trinken, tanzen und spielen, der wird zum Grafen ernannt. Dem aber, welchen das allgemeine Stimmrecht als den Faulsten und zu allem Guten Untauglichsten erkannt, der wird König über das ganze Land und hat ein großes Einkommen.

Nun wißt ihr des Schlaraffenlandes Art und Eigenschaft. Wer sich also auftun und dorthin eine Reise machen will, aber den Weg nicht weiß, der frage einen Blinden; aber auch ein Stummer ist gut dazu, denn er sagt ihm gewiß keinen falschen Weg.

Um das ganze Land herum ist aber eine berghohe Mauer von Reisbrei. Wer hinein oder heraus will, muß sich da erst überzwerch durchfressen.

Schneeweißchen

s war einmal eine Königin, die hatte keine Kinder und wünschte sich eins, weil sie so ganz einsam war. Da sie nun eines Tages an einer Stickerei saß und den Rahmen von schwarzem Ebenholz betrachtete, während es schneite und Schneeflocken vom Himmel fielen, war sie in so tiefen Gedanken, daß sie sich heftig in die Finger stach, so daß drei Blutstropfen auf den weißen Schnee fielen; und da mußte sie wieder daran denken, daß sie kein Kind hatte. »Ach!« seufzte die Königin, »hätte ich doch ein Kind, so rot wie Blut, so weiß wie Schnee, so schwarz wie Ebenholz!«

Und nach einer Zeit bekam diese Königin ein Kind, ein Mägdlein. Das war so weiß wie Schnee an seinem Leibe, und seine Wangen blüheten wie blutrote Röselein, und seine Haare waren so schwarz wie Ebenholz. Die Königin freute sich, nannte das Kind Schneeweißchen, und bald darauf starb sie. Da der König, nun ein Witwer geworden war und kein Witwer bleiben wollte, so nahm er sich eine andre Gemahlin, das war ein stattliches Weib voll hoher Schönheit, aber auch voll unsäglichen Stolzes, und auch so eitel, daß sie sich für die schönste Frau in der ganzen Welt hielt. Dazu war sie zumal durch einen Zauberspiegel verleitet, der sagte ihr immer, wenn sie hineinsah und fragte:

»Spieglein, Spieglein an der Wand
Wer ist die Schönste im ganzen Land?
›Ihr, Frau Königin, seid die Schönst' im Land.‹«

Und der Spiegel schmeichelte doch nicht, sondern sagte die Wahrheit wie jeder Spiegel.

Das kleine Schneeweißchen, der Königin Stieftochter, wuchs heran und wurde die schönste Prinzessin, die es nur geben konnte, und wurde noch viel schöner wie die schöne Königin. Diese fragte, als das Schneeweißchen sieben Jahre alt war, einmal wieder ihren treuen Spiegel:

»Spieglein, Spieglein an der Wand,
Wer ist die Schönst' im ganzen Land?«

Aber da antwortete der Spiegel nicht wie sonst, sondern er antwortete:

»Frau Königin, Ihr seid die Schönste hier,
Aber Schneeweißchen ist tausendmal schöner als Ihr.«

Darüber erschrak die Königin zum Tode und war ihr, als kehre sich ihr ein Messer im Busen um, und da kehrte sich auch ihr Herz um gegen das unschuldige Schneeweißchen, das nichts zu seiner übergroßen Schönheit konnte. Und weil sie weder Tag noch Nacht Ruhe hatte vor ihrem bösen, neidischen Herzen, so berief sie ihren Jäger zu sich und sprach: »Dieses Kind, das Schneeweiß-chen, sollst du in den dichten Wald führen und es töten. Bringe mir Lunge und Leber zum Wahrzeichen, daß du mein Gebot vollzogen!«

Und da mußte das arme Schneeweißchen dem Jäger in den wilden Wald folgen, und im tiefsten Dickicht zog er seine Wehr und wollte das Kind durchstoßen. Das Schneeweißchen weinte jämmerlich und flehte, es doch leben zu lassen, es habe ja nichts verbrochen, und die Tränen und der Jammer des unschuldigen Kindes rührten den Jäger auf das Innigste, so daß er bei sich dachte: Warum soll ich mein Gewissen beladen und dies schöne unschuldige Kind ermorden? Nein, ich will es lieber laufen lassen! Fressen es die wilden Tiere, wie sie wohl tun werden, so mag das die Frau Königin vor Gott verantworten. Und da ließ er Schnee-weißchen laufen, wohin es wollte, fing ein junges Wild, stach es ab und weidete es aus und brachte Lunge und Leber der bösen

169

Königin. Die nahm beides und briet es in Salz und Schmalz und verzehrte es, und war froh, daß sie, wie sie vermeinte, nun wieder allein die Schönste sei im ganzen Lande. Schneeweißchen im Walde wurde bald angst und bange, wie es so mutterseelenallein durch das Dickicht schritt, und wie es zum ersten Male die harten spitzen Steine fühlte, wie die Dornen ihm das Kleid zerrissen und vollends, als es zum ersten Male wilde Tiere sah. Aber die wilden Tiere taten ihm gar nichts zuleide; sie sahen Schneeweißchen an und fuhren in die Büsche. Und das Mägdlein ging den ganzen Tag und ging über sieben Berge.

Des Abends kam Schneeweißchen an ein kleines, kleines Häuschen mitten im Walde, da ging es hinein, sich auszuruhen, denn es war sehr müde, war auch sehr hungrig und sehr durstig. Darinnen in dem kleinen, kleinen Häuschen war alles gar zu niedlich und zierlich und dabei sehr sauber. Es stand ein kleines Tischlein in der Stube, das war schneeweiß gedeckt, und darauf standen und lagen sieben Tellerchen, auf jedem ein wenig Gemüse und Brot, sieben Löffelchen, sieben Paar Messerchen und Gäbelchen, sieben Becherchen. Und an der Wand standen sieben Bettchen, alle blütenweiß überzogen. Da aß nun das hungrige Schneeweißchen von den sieben Tellerchen, nur ein klein wenig von jedem, und trank aus jedem Becherchen ein Tröpflein Wein. Dann legte es sich in eines der sieben Bettchen, um zu ruhen, aber das Bettchen war zu klein, und sie mußte es in einem andern probieren, doch wollte keins recht passen, bis zuletzt das siebente, das paßte, da hinein schlüpfte Schneeweißchen, deckte sich zu, betete zu Gott und schlief ein, tief und fest wie fromme Kinder, die gebetet haben, schlafen.

Derweil wurde es Nacht, und da kamen die Häuschensherren, sieben kleine Bergmännerchen, jedes mit einem brennenden Grubenlichtchen vorn am Gürtel, und da sahen sie gleich, daß eins dagewesen war. Der Erste fing an zu fragen: »Wer hat auf meinem Stühlchen gesessen?« Der Zweite fragte: »Wer hat von meinem Tellerchen gegessen?« Der Dritte fragte: »Wer hat von

meinem Brötchen gebrochen?« Der Vierte: »Wer hat von meinem
Gemüslein geleckt?« Der Fünfte: »Wer hat mit meinem Messerchen geschnitten?« Der Sechste: »Wer hat mit meinem Gäbelchen
gestochen?« Und der Siebente fragte: »Wer hat aus meinem
Becherchen getrunken?« Wie die Zwerglein also gefragt hatten,
sahen sie sich nach ihren Bettchen um und fragten: »Wer hat in
unsern Bettchen gelegen?« bis auf den Siebenten, der fragte nicht
so, sondern: »Wer liegt in meinem Bettchen?« Denn da lag das
Schneeweißchen darin. Da leuchteten die Bergmännerchen mit
ihren Lämpchen alle hin und sahen mit Staunen das schöne Kind
und störten es nicht, sondern sie ließen den Siebenten in ihren
Bettchen liegen, in jedem ein Stündchen, bis die Nacht herum
war. Da nun der Morgen mit seinen frühen Strahlen in das kleine,
kleine Häuschen der Zwerglein schien, wachte Schneeweißchen
auf und fürchtete sich vor den Zwergen. Die waren aber ganz gut
und freundlich und sagten, es solle sich nicht fürchten, und
fragten, wie es heiße? Da sagte und erzählte nun Schneeweißchen
alles, wie es ihm ergangen sei. Darauf sagten die Zwergmännchen:
»Du kannst bei uns in unserm Häuschen bleiben, Schneeweißchen, und kannst uns unsern Haushalt führen, kannst uns unser
Essen kochen, unsre Wäsche waschen und alles hübsch rein und
sauber halten, auch unsre Bettchen machen.«

Das war Schneeweißchen recht, und es hielt den Zwergen Haus.
Die taten am Tage ihre Arbeit in den Bergen, tief unter der Erde,
wo sie Gold und Edelsteine suchten, und abends kamen sie und
aßen und legten sich in ihre sieben Bettchen.

Unterdessen war die böse Königin froh geworden in ihrem
argen Herzen, daß sie nun wieder die Schönste war, wie sie meinte,
und versuchte den Spiegel wieder und fragte ihn:

»Spieglein, Spieglein an der Wand,
Wer ist die Schönst' im ganzen Land?«

171

Da antwortete ihr der Spiegel:

> »Frau Königin! Ihr seid die Schönste hier,
> Aber Schneeweißchen über den sieben Bergen,
> Bei den sieben guten Zwergen,
> Das ist noch tausendmal schöner als Ihr!«

Das war wiederum ein Dolchstich in das eitle Herz der Frau Königin, und sie sann nun Tag und Nacht darauf, wie sie dem Schneeweißchen ans Leben käme, und endlich fiel ihr ein, sich verkleidet selbst zu Schneeweißchen aufzumachen, und sie verstellte ihr Gesicht und zog geringe Kleider an, nahm auch einen Allerhandkram und ging über die sieben Berge, bis sie an das kleine, kleine Häuschen der Zwerge kam. Da klopfte sie an die Türe und rief: »Holla! Holla! Kauft schöne Waren!« Die Zwerge hatten aber dem Schneeweißchen gesagt, es solle sich vor fremden Leuten in acht nehmen, vornehmlich vor der bösen Königin. Deshalb sah das Mägdlein vorsichtig heraus, da sah sie den schönen Tand, den die Frau zu Markte trug, die schönen Halsketten und Schnüre und allerlei Putz.

Da dachte Schneeweißchen nichts Arges und ließ die Krämerin herein und kaufte ihr eine Halsschnur ab, und die Frau wollte ihr zeigen, wie diese Schnur umgetan würde, und schnürte ihm von hinten den Hals so zu, daß Schneeweißchen gleich der Odem ausging und es tot hinsank.

»Da hast du den Lohn für deine übergroße Schönheit!« sprach die böse Königin, und hob sich von dannen.

Bald darauf kamen die sieben Zwerglein nach Hause, und da finden sie ihr schönes liebes Schneeweißchen tot und sahen, daß es mit der Schnur erdrosselt war. Geschwinde schnitten sie die Schnur entzwei und träufelten einige Tropfen von der Goldtinktur auf Schneeweißchens blasse Lippen, da begann es leise zu atmen und wurde allmählich wieder lebendig. Als es nun erzählen konnte, erzählte es, wie die alte Krämersfrau ihr den Hals böslich zugeschnürt, und die Zwerge riefen: »Das war kein anderes Weib, als die falsche Königin! Hüte dich und lasse gar keine Seele in das kleine Häuschen, wenn wir nicht da sind.«

Die Königin trat, als sie von ihrem schlimmen Gang wieder nach Hause kam, gleich vor ihren Spiegel und fragte ihn:

»Spieglein, Spieglein an der Wand,
Wer ist die Schönst' im ganzen Land?«

Und der Spiegel antwortete:

»Frau Königin! Ihr seid die Schönst' allhier,
Aber Schneeweißchen über den sieben Bergen,
Bei den sieben guten Zwergen,
Das ist noch tausendmal schöner als Ihr.«

Da schwoll der Königin das Herz vor Zorn, wie einer Kröte der Bauch, und sie sann wieder Tag und Nacht auf Schneeweißchens Verderben. Bald nahm sie wieder die falsche Gestalt einer andern Frau an, durch Verstellung ihres Gesichts und fremdländische Kleidung, machte einen vergifteten Kamm, den tat sie zu anderm Kram und ging über die sieben Berge, an das kleine, kleine Zwergenhäuslein. Dort klopfte sie wieder an die Türe, rief: »Holla! Holla! Kauft schöne Waren! Holla!«

Schneeweißchen sah zum Fenster heraus und sagte: »Ich darf niemand hereinlassen!« Das Kramweib aber rief: »Schade um die schönen Kämme!« Und dabei zeigte sie den giftigen, der ganz golden blitzte. Da wünschte sich Schneeweißchen von Herzen einen goldenen Kamm, dachte nichts Arges, öffnete die Türe und ließ die Krämerin herein und kaufte den Kamm.

»Nun will ich dir auch zeigen, mein allerschönstes Kind, wie der Kamm durch die Haare gezogen und wie er gesteckt wird«, sprach die falsche Krämerin und strich dem Schneeweißchen damit durchs Haar; da wirkte gleich das Gift, daß das arme Kind umfiel

173

und tot war. »So, nun wirst du wohl das Wiederaufstehen vergessen«, sprach die böse Königin und entfloh aus dem Häuschen.

Bald darauf – und das war ein Glück – wurde es Abend, und da kamen die sieben Zwerge wieder nach Hause, hielten das arme Schneeweißchen für tot und fanden in seinem schönen Haar den giftigen Kamm. Diesen zogen sie geschwind aus dem Haar, und da kam es wieder zu sich. Und die Zwerglein warnten es aufs neue gar sehr, doch ja niemand ins Häuschen zu lassen.

Daheim trat die böse Königin wieder vor ihren Spiegel und fragte ihn:

>»Spieglein, Spieglein an der Wand,
>Wer ist die Schönst' im ganzen Land?«

Und der Spiegel antwortete:

>»Frau Königin! Ihr seid die Schönst' allhier,
>Aber über den sieben Bergen,
>Bei den sieben guten Zwergen
>Ist Schneeweißchen – tausendmal schöner als Ihr.«

Da wußte sich die Königin vor giftiger Wut darüber, daß alle ihre bösen Ränke gegen Schneeweißchen nichts fruchteten, gar nicht zu lassen und zu fassen und tat einen schweren Fluch, Schneeweißchen müsse sterben, und solle es ihr, der Königin, selbst das Leben kosten.

Und darauf machte sie heimlich einen schönen Apfel giftig, aber nur auf einer Seite, wo er am schönsten war, nahm dazu noch einen Korb voll gewöhnlicher Äpfel, verstellte ihr Gesicht, kleidete sich wie eine Bäuerin, ging abermals über die sieben Berge und klopfte am Zwergenhäuslein an, indem sie rief: »Holla! Schöne Äpfel kauft! kauft!« Schneeweißchen sah zum Fenster heraus und sagte: »Geht fort, Frau! Ich darf nicht öffnen und auch nichts kaufen!«

»Auch gut, liebes Kind!« sprach die falsche Bäuerin. »Ich werde auch ohne dich meine schönen Äpfel noch alle los! Da hast du einen umsonst!«

»Nein, ich danke schön, ich darf nichts annehmen!« rief Schneeweißchen. »Denkst wohl gar, der Apfel wäre vergiftet? Siehst du, da beiße ich selber hinein! Das schmeckt einmal gut! So hast du in deinem ganzen Leben keinen Apfel gegessen.« Dabei biß das trügerische Weib in die Seite des Apfels, die nicht vergiftet war, und da wurde Schneeweißchen lüstern und griff nach dem Apfel hinaus, und die Bäuerin reichte ihn hin und blieb stehen. Kaum hatte Schneeweißchen den Apfel auf der andern Seite angebissen, wo er ein schönes rotes Bäckchen hatte, so wurden Schweißweißchens rote Bäckchen ganz blaß, und es fiel um und war tot.

»Nun bist du aufgehoben, Ding!« sprach die Königin und ging fort, und zu Hause trat sie wieder vor den Spiegel und fragte wieder:

»Spieglein, Spieglein an der Wand,
Wer ist die Schönst' im ganzen Land?«

Und der Spiegel antwortete dieses Mal:

»Ihr, Frau Königin, seid allein die Schönst' im Land!«

Nun war das Herz der bösen Königin zufrieden, soweit ein Herz voll Bosheit und Tücke und Mordschuld zufrieden sein kann.

Aber wie erschraken die sieben guten Zwerge, als sie abends nach Hause kamen und ihr Schneeweißchen ganz tot fanden. Vergebens suchten sie nach einer Ursache, und vergebens versuchten sie die Wunderkraft ihrer Goldtinktur. Schneeweißchen war und blieb jetzt tot.

Da legten die betrübten Zwerglein das liebe Kind auf eine Bahre und setzten sich darum herum und weinten drei Tage lang, hernach wollten sie es begraben. Aber da Schneeweißchen noch nicht wie tot aussah, sondern noch frisch wie ein Mägdlein, das schläft, so wollten sie es nicht allein in die Erde senken, sondern sie machten einen schönen Sarg von Glas, da hinein legten sie es und schrieben darauf: Schneeweißchen, eine Königstochter – und setzten dann den Sarg auf einen von den sieben Bergen und hielt immer einer von ihnen Wache bei dem Sarge. Da kamen auch die Tiere aus dem Walde und weinten über Schneeweißchen, die Eule, der Rabe und das Täubelein.

Und so lag Schneeweißchen lange Jahre in dem Sarge, ohne daß es verweste, vielmehr sah es noch so frisch und so weiß aus wie frischgefallener Schnee und hatte wieder rote Wängelein, wie frische Blutröschen, und die schwarzen, ebenholzfarbenen Haare. Da kam ein junger schöner Königssohn zu dem kleinen Zwergenhäuslein, der sich verirrt hatte in den sieben Bergen, und sah den gläsernen Sarg stehen und las die Schrift darauf: »Schneeweißchen, eine Königstochter« – und bat die Zwerge, ihm doch den Sarg mit Schneeweißchen zu überlassen, er wolle denselben ihnen abkaufen.

Die Zwerge aber sprachen: »Wir haben Goldes die Fülle und brauchen deines nicht! Und um alles Gold in der Welt geben wir den Sarg nicht her.«

»So schenkt ihn mir!« bat der Königssohn. »Ich kann nicht sein ohne Schneeweißchen, ich will es aufs höchste ehren und heilig halten, und es soll in meinem schönsten Zimmer stehen; ich bitte euch darum!«

Da wurden die Zwerglein von Mitleid bewegt und schenkten ihm Schneeweißchen im gläsernen Sarge. Den gab er seinen Dienern, daß sie ihn vorsichtig forttrügen, und er folgte sinnend nach.

Da stolperte der eine Diener über eine Baumwurzel, daß der Sarg schütterte, und hätten ihn beinahe fallen lassen, und durch das Schüttern fuhr das giftige Stückchen Apfel, das Schneeweißchen noch im Munde hatte (weil es umgefallen war, ehe es den Bissen verschluckt), heraus, und da war es mit einem Male wieder lebendig.

Geschwind ließ es der Königssohn niedersetzen, öffnete den Sarg und hob es mit seinen Armen heraus und erzählte ihm alles und gewann es nun erst recht lieb, und nahm es zu seiner Gemahlin, führte es auch gleich in seines Vaters Schloß und wurde zur Hochzeit zugerüstet mit großer Pracht. Auch viele hohe Gäste wurden geladen, darunter auch die böse Königin. Die putzte sich auf das allerschönste, trat vor ihren Spiegel und fragte wieder:

»Spieglein, Spieglein an der Wand,
Wer ist die Schönst' im ganzen Land?«

Darauf antwortete der Spiegel:

»Frau Königin, Ihr seid die Schönst' allhier,
Aber die junge Königin ist noch tausendmal schöner als Ihr!«

Da wußte die Königin nicht, was sie vor Neid und Scheelsucht sagen und anfangen sollte, und es wurde ihr ganz bange ums Herz, und wollte erst gar nicht auf die Hochzeit gehen; dann wollte sie aber doch die sehen, die schöner sei als sie, und fuhr hin. Und wie sie in den Saal kam, trat ihr Schneeweißchen als die allerschönste Königsbraut entgegen, die es jemals gegeben, und da mochte sie vor Schrecken in die Erde sinken.

Schneeweißchen aber war nicht allein die Allerschönste, sondern sie hatte auch ein großes, edles Herz, das die Untaten, die die falsche Frau an ihr verübt, nicht selbst rächte. Es kam aber ein giftiger Wurm, der fraß der bösen Königin das Herz ab, und dieser Wurm war der Neid.

Das Dornröschen

s war einmal ein König und eine Königin, die hatten keine Kinder, wünschten sich aber tagtäglich ein Kind. Zu einer Zeit geschah es, daß die Königin badete und seufzete, als sie so allein war: »Ach hätte ich doch ein Kind!« Da hüpfte ein Frosch aus dem Wasser und sprach: »Was du wünschest, soll dir werden!« Und darauf hat die Königin ein Töchterlein bekommen, das war schön über alle Maßen, und der König hatte darüber die größte Freude, daß sein liebster Wunsch erfüllt war, und stellte ein großes Fest an, zu dem er alle seine Freunde einlud. Nun lebten in dem Lande auch weise Frauen, die waren begabt mit Zauber- und Wundermacht und genossen große Ehrfurcht vor allem Volke; die lud der König auch ein, und sollten auf goldnen Tellern essen. Damals hatten aber die Könige nicht so viele Schüsseln und Teller wie jetzt, und dieser König hatte nur ein Dutzend, das sind zwölf, und der weisen Frauen waren dreizehn, da konnte er auch nur zwölf einladen, und die dreizehnte blieb uneingeladen, was sie aber übel nahm.

Die weisen Frauen begabten das Königskind mit gar köstlichen Gütern, nicht mit Schönheit, denn die besaß es schon, sondern mit Liebenswürdigkeit, Heiterkeit, Anmut, Sanftmut, Bescheidenheit, Frömmigkeit, Sittsamkeit, Tugend, Aufrichtigkeit, Verstand und Reichtum, und eben wollte die zwölfte weise Frau auch noch ihren Wunsch aussprechen, als die dreizehnte in das Zimmer trat, die nicht eingeladen worden war, und zornig ausrief: »In fünfzehn Jahren soll die Königstochter sich in eine Spindel stechen und tot hinfallen!« Mit diesen Worten war die böse Alrune wieder verschwunden, und die andern standen starr vor Schrecken, denn die weisen Frauen machten keine vergeblichen Worte. Ein Glück, daß die zwölfte weise Frau ihren Wunsch noch nicht ausgesprochen hatte. Sie konnte zwar das, was einmal eine weise Frau gedroht hatte, nicht abändern, aber ihm doch eine mildernde Wendung geben, und rief: »Die Königstochter soll nur in einen tiefen Schlaf fallen, der soll hundert Jahre dauern und nicht länger.«

Der König ließ sogleich ein Regierungsmandat im ganzen Lande ergehen, kraft dessen alle Spindeln überall abgeschafft und dafür die Spinnräder eingeführt wurden; indes erwuchs die schöne Königstochter zu einem Fräulein, das an Schönheit, Holdseligkeit, Freundlichkeit, Milde, Demut, Züchtigkeit, Herzensgüte, Tugend und Verstand seinesgleichen suchte, und so kam es zu seinem fünfzehnten Jahre, von allen, die es kannten, geliebt, ja angebetet. Und da bekam die Prinzessin gerade Lust, sich im Schloß ein bißchen umzusehen, ging durch mehrere Gemächer und kam an eine Treppe, die zu einem alten Turm führte. Diese stieg es hinan und kam an ein niedrig Kammertürlein, da steckte ein alter, verrosteter Schlüssel daran, und neugierig, wie die ganz jungen Mädchen sind, drehte die Prinzessin an dem Schlüssel, und die Türe ging gleich auf. Da saß ein uraltes Spinneweiblein und spann emsig mit einer Spindel. Es mochte wohl des Königs Gesetz nicht gehört oder gelesen, oder es längst vergessen haben. Die umhertanzende, auf und nieder wirbelnde Spindel machte der jungen Königstochter viel Freude, sie haschte nach der Spindel, wollte auch spinnen und stach sich damit, denn es war gerade der Tag, an welchem die Prophezeiung der erzürnten weisen Frau in Erfüllung gehen sollte. Und die Königstochter fiel nieder in einen Schlaf. Und da überkam derselbe Schlaf auch den König und die Königin, und das ganze Schloß. Da mag es schön langweilig gewesen sein! Der ganze Hofstaat schlief ein, vom Hofmarschall bis zum Küchenjungen, den der Koch wegen eines Versehens gerade an den Haaren zauste und ihm eine Ohrfeige geben wollte, und Koch und Kellner, Kammerfrau und Kammerjungfer, Kind und Kegel, Hund und Katze, ja die Tauben und Sperlinge auf dem Dache, die Pfauen und Papageien und selbst die Fliegen an der Wand, die schliefen alle. Und das Feuer auf dem Herd legte sich

180

und schlief ein, und der Wind legte sich auch und wurde alles piepstill, daß man kein Mäuschen im ganzen Schloß mehr knuspern hörte, dieweil die Mäuslein auch schliefen. Und da kam kein Mensch mehr in das verzauberte Schlummerschloß, um welches rund herum eine mächtige Dornenhecke emporwuchs, jedes Jahr einige Schuh höher, bis sie den höchsten Turm überwachsen hatte, daß man nicht einmal die Fahne und den Wetterhahn mehr sah, und so dicht, daß kein menschliches Wesen eindringen konnte. Und da wurde das Schloß allmählich ganz vergessen, und es ging nur die Sage, hinter den Dornen stehe ein Schloß; darin schlafe das Dornröschen, die verzauberte Prinzessin, wie lange schon und wie lange noch, wisse niemand. Zwar kamen von Zeit zu Zeit Königssöhne, die wollten hindurchdringen durch die Hecke, allein dieselbe war allzu dicht und konnten es nicht erlangen, blieben wohl gar in den Dornen verstrickt und kamen elendiglich darin um.

Und so waren nun hundert Jahre vergangen, und die Zeit war da, daß das Dornröschen wieder erwachen sollte, es wußte dies aber niemand genau, und da kam auch ein Königssohn, der hörte die Mär von dem schlafenden Dornröschen aus dem Mund eines Alten, der sie ihm gewiß versicherte, denn sein Vater und Urgroßvater hätten ihm oft davon erzählt, und der Alte mußte den Königssohn hin an die verrufene Dornhecke führen. Und das geschah just am hundertsten Jahrestag, seit das Dornröschen in seinen Zauberschlaf gefallen war. Und die Dornhecke stand über und über voll Rosenblumen, das war seit Menschengedenken nicht der Fall gewesen, auch konnte der Königssohn frei durch die Dornhecke gehen, kein Dorn berührte sein Gewand, aber gleich hinter ihm schloß sich die Hecke wieder. Und da fand er alles unversehrt; kein Wind hatte geweht und kein Regen genäßt, das Jahrhundert war über den Häuptern der Schlummernden so leise hinweggeflogen, wie ein Schwan über einen stillen See voll träumender Wasserlilien. Da schliefen noch alle Fliegen und alle Mäuschen, da schliefen Huhn und Hahn, Katz und Hund, Magd und Zofe, Kammerherr und Kammerknecht und auch König und Königin.

Das alles sah der Königssohn mit großer Verwunderung, ging nun hinauf in den Turm und kam in die Kammer, wo das süße Dornröschen lag und so sanft schlief, hehr umflossen vom Heiligenschein seiner Unschuld und vom Glanze seiner Schönheit. Da beugte der Prinz sich nieder und küßte das Dornröschen, und alsbald schlug es die Augen auf. Der Königssohn sagte ihm, wie alles sich zugetragen, und führte es herab in das Schloß. Da erwachte alles, König und Königin, Zwerg und Zofe, Hunde und Pferde, Feuer und Wasser, Wind und Wetterhahn, und der Koch gab dem Küchenjungen die Ohrfeige, die er ihm vor hundert Jahren schuldig geblieben war, und alles ging wieder seinen Gang und wurde eine stattliche Hochzeit ausgerichtet, nämlich des Dornröschens mit dem Königssohn, der es aus dem Schlummer erlöst, und lebten glücklich und zufrieden miteinander bis an ihr Ende.

Schwan, kleb an

s waren einmal drei Brüder, von denen hieß der älteste Jakob, der zweite Friedrich und der dritte und jüngste Gottfried. Dieser jüngste war das Stichblatt aller Neckereien seiner Brüder und der gewöhnliche Ablenker ihres Unmuts. Wenn ihnen etwas quer über den Weg lief, so mußte Gottfried es entgelten, und er mußte sich das alles gefallen lassen, weil er von schwächlichem Körperbau war und sich gegen seine stärkeren Brüder nicht wehren konnte. Dadurch wurde ihm das Leben sauer gemacht, und er sann Tag und Nacht darauf, sein Schicksal erträglicher zu machen.

Als er einst im Walde war, um Holz zu sammeln und bitterlich weinte, trat ein altes Weiblein zu ihm, das fragte ihn um seine Not, und er vertraute ihr all seinen Kummer. »Ei, mein Junge«, sagte das Weiblein darauf, »ist die Welt nicht groß? Warum versuchst du nicht anderswo dein Glück?« Das nahm sich Gottfried zu Herzen und verließ eines Morgens frühe das väterliche Haus und machte sich auf den Weg in die weite Welt, um, wie das Weiblein gesagt hatte, sein Glück zu suchen. Aber der Abschied von dem Ort, wo er geboren worden war und wenigstens eine glückliche Kindheit verlebt hatte, ging ihm doch nahe, und er setzte sich auf einen Hügel nieder, um noch einmal recht das heimatliche Dorf zu betrachten. Siehe, da stand das Weiblein hinter ihm, schlug ihn auf die Schulter und sprach: »Das hast du einmal gut gemacht, mein Junge! Aber was willst du nun anfangen?«

Gottfried dachte jetzt erst daran, was er beginnen solle. Er hatte bis jetzt geglaubt, das Glück müsse ihm wie eine gebratene Taube in den Mund fliegen. Das Weiblein mochte seine Gedanken erraten, lächelte grinsend und sagte: »Ich will dir sagen, was du anfangen sollst. Warum? Weil ich dich lieb habe und weil ich

184

glaube, daß du auch mich nicht vergessen wirst, wenn du dem
Glücke im Schoß sitzest.« Gottfried versprach dies mit Hand und
Mund; die Alte fuhr fort: »Heute abend, wenn die Sonne unter-
geht, gehe an den großen Birnbaum, der dort am Kreuzweg steht.
Darunter wird ein Mann liegen und schlafen, an den Baum aber
wird ein großer Schwan angebunden sein; den Mann hütest du
dich aufzuwecken, und du mußt deswegen gerade mit Sonnenun-
tergang kommen, den Schwan aber knüpfst du los und führst ihn
mit dir fort. Die Leute werden in seine schönen Federn vernarrt
sein, und du magst ihnen erlauben, davon eine auszurupfen.
Wenn aber der Schwan berührt wird, so wird er schreien, und
wenn du dann sagst: Schwan kleb an! so wird dem, der ihn
berührt, die Hand fest ankleben und nicht eher wieder loswerden,
bis du sie mit diesem Stöcklein antippst, das ich dir hiermit zum
Geschenk mache. Wenn du nun so einen weidlichen Zug Men-
schenvögel gefangen hast, so führe sie nur immer grad aus. Da
wirst du an eine große Stadt kommen, da wohnt eine Königstochter, die noch nie gelacht hat. Bringst du sie zum Lachen, so ist dein
Glück gemacht; aber dann vergiß auch mich nicht, meine Junge!«

Gottfried gab nochmals das Versprechen und war mit Sonnen-
untergang richtig an dem bezeichneten Baum. Der Mann lag da
und schlief, und ein großer schöner Schwan war mit einem Bande
an den Baum gebunden. Gottfried knüpfte den Vogel beherzt los
und führte ihn davon, ohne daß der Mann erwachte.

Nun traf es sich, daß Gottfried mit seinem Schwan an einer
Baustätte vorüberkam, wo einige Männer mit aufgestreiften Bein-
kleidern Lehm kneteten; die bewunderten die schönen Federn des
Vogels, und ein vorwitziger Junge, der über und über voll Lehm
war, sagte laut: »Ach, wenn ich doch nur eine solche Feder hätte.«

»Zieh dir eine aus!« sprach Gottfried freundlich. Der Junge griff
nach dem Schweife des Vogels, der Schwan schrie. »Schwan kleb
an!« sprach Gottfried, und der Junge konnte nicht wieder loskom-
men, er mochte anfangen, was er wollte. Die andern lachten, je
mehr der Junge schrie, bis vom nahen Bache eine Magd herzuge-

laufen kam, die mit hoch aufgeschürztem Rocke dort gewaschen
hatte. Die fühlte Mitleid mit dem Jungen und reichte ihm die
Hand, um ihn loszumachen. Der Schwan schrie. »Schwan, kleb
an!« sprach Gottfried, und die Magd war ebenfalls gefangen. Als
Gottfried mit seiner Beute eine Strecke gegangen war, begegnete
ihm ein Schornsteinfeger, der lachte über das sonderbare Gespann
und fragte die Magd, was sie denn da triebe?

»Ach, herzliebster Hans«, antwortete die Magd kläglich, »gib
mir doch deine Hand und mach' mich von dem verteufelten
Jungen los.«

»Wenn's weiter nichts ist!« lachte der Schornsteinfeger und gab
der Magd die Hand, der Vogel schrie. »Schwan, kleb an!« sprach
Gottfried, und der schwarze Mensch war ebenfalls behext. Sie
kamen nun in ein Dorf, wo eben Kirchweih war; eine Seiltänzerge-
sellschaft gab dort Vorstellungen, und der Bajazzo machte eben
seine Narreteidinge. Der riß Mund und Nase auf, als er das
seltsame Kleeblatt sah, das an dem Schweife des Schwans festhing.

»Bist du ein Narr geworden, Schwarzer?« lachte er.

»Da ist gar nichts zu lachen!« antwortete der Schornsteinfeger.
»Das Weibsbild hält mich so fest, daß meine Hand wie angenagelt
ist. Mach' mich los, Bajazzo; ich tu' dir einmal einen andern
Liebesdienst.«

Der Bajazzo faßte die ausgestreckte Hand des Schwarzen, der
Vogel schrie. »Schwan, kleb an!« sprach Gottfried, und der Bajazzo
war der Vierte im Bunde. Nun stand in der vordersten Reihe der
Zuschauer der stattlich wohlbeleibte Amtmann des Dorfes, der
machte ein gar ernsthaftes Gesicht dazu, und er ärgerte sich gar
höchlich über das Blendwerk, das nicht mit rechten Dingen
zugehen könne. Sein Eifer ging so weit, daß er den Bajazzo an der
ledigen Hand faßte und ihn losreißen wollte, um ihn dem Büttel
zu übergeben; da schrie der Vogel, und »Schwan, kleb an!« sprach
Gottfried, und der Amtmann teilte das Schicksal der Vorgänger.
Die Frau Amtmännin, eine lange dürre Spindel, entsetzte sich
über das Mißgeschick ihres Eheherrn und riß mit Leibeskräften an

dem freien Arm desselben, der Vogel schrie. »Schwan, kleb an!«
sprach Gottfried, und die arme Frau Amtmännin mußte trotz
ihres Geschreis folgen. Hinfort hatte niemand mehr Lust, die
Gesellschaft zu vergrößern.

Gottfried sah schon die Türme der Hauptstadt vor sich; da kam
ihm eine wunderschöne Equipage entgegen, in der eine schöne
junge, aber ernste Dame saß. Als diese den bunten Zug erblickte,
brach sie jedoch in lautes Gelächter aus, und ihre Dienerschaft
lachte mit. »Die Königstochter hat gelacht!« rief alles vor Freuden.
Sie stieg aus, betrachtete sich die Sache noch genauer und lachte
immer mehr bei den Kapriolen, welche die Festgebannten machten. Der Wagen mußte umwenden und fuhr langsam neben
Gottfried nach der Stadt zurück.

Als der König die Kunde vernahm, daß seine Tochter gelacht
habe, war er voll Entzücken und nahm selbst Gottfried, seinen
Schwan und dessen wunderliches Gefolge in Augenschein, wobei
er selbst so sehr lachen mußte, daß ihm die Tränen in die Augen
standen.

187

»Du närrischer Gesell«, sprach er zu Gottfried, »weißt du, was ich dem versprochen habe, der meine Tochter zum Lachen bringt?«

»Nein«, sagte Gottfried.

»So will ich dir's sagen«, antwortete der König. »Tausend Goldgulden oder ein schönes Gut. Wähle dir zwischen den beiden.«

Gottfried entschied sich für das Gut. Dann berührte er den Buben, die Magd, den Schornsteinfeger, den Bajazzo, den Amtmann und die Amtmännin mit seinem Stäbchen, und alle fühlten sich frei und liefen davon, als brenne die Hölle hinter ihnen her, was neues, unauslöschliches Gelächter verursachte. Da wurde die Königstochter bewegt, den schönen Schwan zu streicheln und sein Gefieder zu bewundern. Der Vogel schrie; »Schwan, kleb an!« sprach Gottfried, und so gewann er die Königstochter. Der Schwan aber erhob sich in die Lüfte und verschwand in den blauen Horizont. Gottfried erhielt nun ein Herzogtum zum Geschenk; er erinnerte sich aber auch des alten Weibleins, das schuld an seinem Glücke war, und berief sie als seine und seiner auserwählten Braut Haushofmeisterin in sein stattliches Residenzschloß.

Das Märchen vom Mann im Monde

or uralten Zeiten ging einmal ein Mann am lieben Sonntagmorgen in den Wald, haute sich Holz ab, eine großmächtige Welle, band sie, steckte einen Staffelstock hinein, huckte die Welle auf und trug sie nach Hause zu.

Da begegnete ihm unterwegs ein hübscher Mann in Sonntagskleidern, der wollte wohl in die Kirche gehen, blieb stehen, redete den Wellenträger an und sagte: »Weißt du nicht, daß auf Erden Sonntag ist, an welchem Tage der liebe Gott ruhte, als er die Welt und alle Tiere und Menschen geschaffen! Weißt du nicht, daß geschrieben steht im dritten Gebot, du sollst den Feiertag heiligen?« Der Fragende aber war der liebe Gott selbst; jener Holzhauer jedoch war ganz verstockt und antwortete: »Sonntag auf Erden oder Mondtag im Himmel, was geht das mich an, und was geht es dich an?«

»So sollst du deine Reisigwelle tragen ewiglich!« sprach der liebe Gott, »und weil der Sonntag auf Erden dir so gar unwert ist, so sollst du fürder ewigen Mondtag haben und im Mond stehen, ein Warnungsbild für die, welche den Sonntag mit Arbeit schänden!«

Von der Zeit an steht im Mond immer noch der Mann mit dem Holzbündel und wird wohl so stehen bleiben bis in alle Ewigkeit.

Die sieben Schwanen

n einem Lande war ein junger Rittersmann, der war reich und schön und hatte eine prächtige Burg. Zu einer Zeit ritt er mit seinen Hunden in den Wald, um zu jagen, da sah er eine Hindin (Hirschkuh), die war weißer als der Schnee, und floh vor ihm auf und davon in das Gebirge zwischen die wilden hohen Gesträuche. Der Rittersmann aber folgte ihr gar eilig nach und kam zuletzt in ein wildes finstres Tal, da verlor er durch die Hunde die Hindin aus dem Gesicht, ritt hin und her und rief die Hunde wieder zusammen. Darüber kam er an einen Fluß, an dem sah er eine schöne Jungfrau stehen, die wusch sich und trug in der Hand eine güldne Kette. Und da ihm diese Jungfrau sehr wohl gefiel, so stieg er sacht vom Roß, schlich sich ihr unversehens nah und nahm ihr die goldne Kette aus der Hand. In dieser Kette aber war sonderliche Kraft und Planetenzauber, und die Jungfrau war ein Wünschelweiblein und so schön, daß er ob ihrer Schönheit die Hindin samt seinen Hunden vergaß, und gedachte die Jungfrau heimzuführen als seine Gemahlin. Und also tat er auch und führte sie heim auf seine Burg.

Nun hatte der junge Rittersmann noch eine Mutter, der kam die Schnur ungelegen, denn sie hatte bisher das Regiment ganz allein geführt, und besorgte sich nun, daß sie Gewalt und Ansehen auf dem Schloß verlieren werde. Und wurde der Schnur gram und haßte sie und ermahnte oft ihren Sohn, jene nicht allzulieb zu haben, und hätte gar zu gern Unfrieden und Zwietracht zwischen beiden angestiftet. Aber sie konnte das nicht zuwege bringen, denn ihr Sohn wollte ihre Worte nicht hören und war dann jedesmal ungehalten auf sie. Als sie nun das wahrnahm, da stellte sie sich in allem willfährig und dienstgefällig gegen ihren Sohn und die junge Frau, aber es kam bei ihr alles aus einem falschen

Herzen, darin sie zumal eine grausame Bosheit erdacht hatte gegen die junge Frau, obschon sie sie äußerlich gar sehr zu ehren schien. Darüber kam die Zeit, daß die junge Frau in das Kindbett kam und genas von sechs Söhnen und einer Tochter, die trugen alle goldne Ringe um ihre Hälse. Sofort kam das alte böse Weib, die Mutter des jungen Herrn, und nahm die sieben Kinderchen, während die Mutter schlief, trug sie hinweg und legte sieben junge Hündlein, die in derselben Nacht geworfen worden, an deren Stelle. Nun hatte dieses falsche und ungetreue Weib einen vertrauten Knecht, dem überantwortete sie die sieben Kinder und verpflichtete ihn bei Treuen und Eide, daß er sie in den wilden Wald tragen, sie töten und begraben sollte in der Erde oder im Wasser ertränken. Das gelobte der Knecht zu tun, trug die Kindlein in den Wald, legte sie unter einen Baum und bereitete sich, sie zu erwürgen. Da kam ihn aber ein Grauen an vor dem Mord, und er schauderte zurück vor solch ungetreuer Tat und ließ die Kindlein leben, ging und sagte der Frau, daß er ihr Gebot vollbracht habe.

Aber der Schöpfer aller Wesen, der alle Dinge zum besten lenkt, erbarmte sich der Kindlein und sandte ihnen einen Nährvater, das war ein alter, weiser Meister, der in dem Walde wohnte, Weisheit zu pflegen, der nahm die Kindlein in seine Klause und nährte sie mit der Milch der Hirschkühe, die zu ihm zu kommen gewohnt waren, sieben Jahre lang.

Als jenes böse Weib die Kinder weggebracht hatte von der Mutter, führte sie ihren Sohn zu der jungen Frau, zeigte ihm die Hündlein und sprach: »Siehe Sohn, die Kinder, die deine Frau dir geboren, es sind junge Hunde.« Das tat sie ihrem Sohn aus Rache an, weil er die junge Frau so lieb hatte. Als er das sah, glaubte er seiner Mutter und warf einen Haß auf die junge Frau, die er vorher so lieb gehabt, wollte auch kein Wort einer Entschuldigung hören, sondern er ließ sie auf dem Hofe vor dem Palas seiner Burg in die Erde eingraben bis an die Brust, und über ihr Haupt ließ er ein Waschbecken mit Wasser setzen und gebot allem seinem Gesinde, sich über ihrem Haupt zu waschen und ihre Hände an ihrem schönen Haar zu trocknen. Auch sollte sie keine andere Nahrung bekommen als die Hunde.

Und so mußte das arme Weib stehen bleiben in der Grube in Nöten und Ängsten sieben ganzer Jahre und durfte sich ihrer keine Seele erbarmen. Darüber verzehrte sich ihr schöner Leib, ihre Kleider vermoderten, und es blieb nur die Haut über ihren Gebeinen.

Indessen lernten die jungen Kinder im Walde Wild und Vögel schießen und sich von deren Fleisch nähren, und da geschah es, daß der Ritter, ihr Vater, wieder einmal jagen ging in dem Walde. Da ward er der Kinder gewahr, die in dem Holze spielend hin und her liefen, und hatten alle güldne Kettlein am Halse. Und sein Herz ward von Neigung zu den Kindern bewegt; hätte gern eins oder das andere ergriffen, aber sie ließen sich nicht fangen, sondern verschwanden im Walde. Daheim erzählte er seiner Mutter und anderen Herren und Freunden, daß er im Walde kleine Kinder gesehen mit Goldkettchen an den Hälsen. Darüber erschrak seine Mutter innerlich, nahm den Knecht vor und fragte ihn: »Hast du damals die Kinder getötet, oder hast du sie leben lassen?«

Da bekannte der Knecht, daß er sie nicht mit eigner Hand zu töten vermocht habe, doch habe er sie unter einen Baum gelegt, und da wären sie gewiß bald gestorben. Hierauf gebot sie dem Knecht, schleunigst in den Wald zu reiten, die Kinder zu suchen, die mitnichten gestorben seien, und ihnen die goldnen Ketten zu nehmen, sonst würden sie beide zuschanden werden. Der Knecht gehorchte voll Angst, suchte drei Tage die Kinder im Walde und fand sie nicht; erst am vierten Tage fand er sie, sie hatten die Kettchen abgelegt und waren nun in Schwäne verwandelt und spielten auf dem Wasser. Aber das Mädchen hatte noch seine menschliche Gestalt und sah den Schwänen zu, wie sie auf dem Wasser spielten. Da ging der Knecht heimlich hinzu und nahm die sechs goldnen Kettchen weg; aber das Mädchen entlief ihm, daß er es nicht erreichen konnte.

192

Das Märchen vom Schlaraffenland, zu Seite 165

Wie der Knecht die Ketten der Alten darbrachte, sandte sie zu einem Goldschmied und hieß ihn von denselben einen Becher machen. Als der Goldschmied nun von den Ketten einen Becher gießen wollte, befand er, daß das Gold also edel und rein war, daß es weder mit dem Hammer verarbeitet noch im Feuer fließend gemacht werden konnte, bis auf ein Kettchen, das zerschlug er und machte einen Ring davon; die andern wog er auf seiner Waage, legte sie beiseit und gab dafür an Gewicht so viel anderes Gold und machte einen Becher davon, den gab er der Frau und auch den Ring, die schloß beides fest in ihren Kasten.

Jene Schwäne aber, die nun ihre menschliche Gestalt nicht wieder erlangen konnten, wurden betrübt und sangen mit süßer, kläglicher Stimme wehmutvollen Gesang, der klang wie Weinen kleiner Kinder. Zuletzt erhoben sie sich auf ihrem Gefieder hoch empor, zu sehen, wo sie sich hinwenden möchten? Da gewahrten sie einen großen, spiegelklaren See, und auf diesem ließen sie sich nieder.

Der See aber umschloß einen hohen Berg, an dem hing ein großer Felsen, und auf diesem lag eine schöne Burg. Der Felsen war also steil, und das Wasser stand so dicht am Berge, daß außer einem ganz schmalen Steig keinerlei Zugang zur Burg war. Und das war gerade die Burg des jungen Ritters, welcher der Vater jener Kinder war, und die Fenster des Speisesaales der Burg standen nach dem Wasser gekehrt, so daß der Herr bald der Schwanen gewahr ward, und wunderte sich, denn er hatte so schöne Vögel noch niemals gesehen. Darum warf er ihnen Brot und andere Speisen hinunter und gebot allem seinen Gesinde, daß sie niemand solle verjagen oder vertreiben, sondern sie sollten allezeit Brot hinunterwerfen, so lange, bis daß die Schwäne sich dort beständig heimisch hielten. Diesem Gebot ward fleißig nachgelebt, und die Schwäne gewöhnten sich dahin und wurden so zahm, daß sie stets zur Essenszeit kamen und ihr Futter empfingen.

Das arme verlassene Mädchen aber, ihre Schwester, hatte nun zwar ihre menschliche Gestalt behalten, war aber hilflos, und ging betteln hinauf auf die Burg ihres Vaters. Da gab man ihr den Abfall vom Tische, und sie teilte diesen mit der armen Frau in der Grube, denn so oft sie diese sah, mußte sie bitterlich weinen. Doch kannte eins das andere nicht. Auch brachte das Mägdlein noch einige übriggebliebene Brosamen herunter unter die Burg an das Wasser und gab die den Schwanen, ihren Brüdern. Allezeit, wann sie nahete, so kamen die Schwanen herbei, fliegend und flatternd und kitternd, und aßen ihre Speise aus der Schürze des Mägdleins. Das kosete sie freundlich und nahm sie oft in ihre Arme und ging dann stets gegen Abend wieder auf die Burg und schlief alle Nacht vor der Frau, die in der Erde stand, ohne daß sie wußte, daß diese ihre Mutter war.

Alle Bewohner der Burg sahen das alles mit großer Verwunderung und daß sie immer weinte, wenn sie bei der Frau stand, und auch, daß sie dieser sehr ähnlich sah. Und da ward auch des Ritters Herz bewegt, daß er das Mägdlein näher betrachtete, und sah die Ähnlichkeit mit seiner Frau und sah auch an ihrem Hals das güldne Kettlein. Und ließ das Dirnlein vor sich treten und fragte es: »Mein liebes Kind, sage mir, von wannen bist du und von wannen kömmst du her? Wer sind deine Eltern und wie hast du die Schwanen so gezähmt, daß sie aus deinem Schoße essen?«

Da erseufzte das arme Kind aus tiefstem Herzensgrund und sprach: »Lieber Herr, die Eltern, die ich hatte, habe ich nie gekannt. Ich weiß auch nicht, ob ich sie je gesehen habe. Wenn du aber nach den Schwanen fragst, das sind meine Brüder, die mit mir ernährt wurden von dem Milch der Hindinnen im Walde. Zu einer Zeit geschah es, daß meine Brüder ihre goldenen Ketten ablegten, weil sie baden wollten, da wurden sie in Schwäne verwandelt; und weil die Ketten geraubt wurden, konnten sie die Menschengestalt nicht wieder erlangen und mußten Schwäne bleiben.«

Diese Rede vernahmen das falsche untreue Weib und der Knecht, ihr Helfershelfer und erschraken heftiglich und wurden beide bleich im Bewußtsein ihrer Schuld. Der Ritter nahm das wahr und dachte darüber nach, indem er von der Burg herab spazieren ging. Die Alte aber hetzte den Knecht auf, er sollte das Mägdlein töten. Und er nahm ein blankes Schwert und folgte dem Mägdlein, als es nach seiner Gewohnheit herabging zu den Schwanen. Allein der Herr gewahrte seiner, trat herzu, und wie der Knecht die Missetat begehen wollte, schlug er ihm das Schwert aus der Hand. Da fiel der Knecht auf seine Knie nieder und bekannte alles. Darauf trat der Ritter zu seiner Mutter und zwang sie mit Drohungen zum Geständnis; da schloß sie ihren Kasten auf und gab dem Sohn jenen Becher, der von den Kettchen gefertigt sein sollte. Sogleich sandte der Ritter nach dem Goldschmied und fragte ihn ernstlich wegen des Bechers. Da sich dieser nun auch

195

der Strafe besorgte, so bekannte er die Wahrheit, daß er die Ketten noch ganz habe, bis auf eine, aus der er einen Ring gefertigt. Der Ritter hieß ihm die Ketten bringen und gab sie der Jungfrau; die legte sie den Schwanen, jeglichem eine, um den Hals. Da erhielten sie alle die menschliche Gestalt wieder, bis auf einen – der mußte ein Schwan bleiben. Von diesem Schwan findet man in manchem Buche viel sonderliche Abenteuer beschrieben. Nun ließ der Ritter gar eilig die arme Frau aus der Erde nehmen, ließ sie mit edler Spezerei und kostbaren Würzen wieder erquicken, daß sie wieder ein schönes Weib wurde. Seine falsche Mutter ließ er in das nämliche Loch setzen, darin seine unschuldige Frau sieben lange Jahre geschmachtet und gelitten hatte durch jene Bosheit. So geschah ihr nach dem Prophetenspruch: In die Grube fällt, wer andern sie gegraben.

Der Wettlauf zwischen dem Hasen und dem Igel

iese Geschichte ist ganz lügenhaft zu erzählen, Jungens, aber wahr ist sie doch, denn mein Großvater, von dem ich sie habe, pflegte immer, wenn er sie erzählte, dabei zu sagen: »Wahr muß sie doch sein, meine Söhne, denn sonst könnte man sie ja nicht erzählen.« Die Geschichte aber hat sich so zugetragen:

Es war einmal an einem Sonntagmorgen in der Herbstzeit, just als der Buchweizen blühte. Die Sonne war goldig am Himmel aufgegangen, der Morgenwind ging frisch über die Stoppeln, die Lerchen sangen in der Luft, die Bienen summten in dem Buchweizen, und die Leute gingen in ihren Sonntagskleidern nach der Kirche, kurz, alle Kreatur war vergnügt und der Swinegel auch.

Der Swinegel aber stand vor seiner Türe, hatte die Arme übereinandergeschlagen, guckte dabei in den Morgenwind hinaus und trällerte ein Liedchen vor sich hin, so gut und so schlecht, als es nun eben am lieben Sonntagmorgen ein Swinegel zu singen vermag. Indem er nun noch so halbleise vor sich hinsang, fiel ihm auf einmal ein, er könne wohl, während seine Frau die Kinder wüsche und anzöge, ein bißchen im Felde spazieren und dabei sich umsehen, wie seine Steckrüben stünden. Die Steckrüben waren das nächste bei seinem Hause, und er pflegte mit seiner Familie davon zu essen, und deshalb sah er sie denn auch als die seinigen an. Der Swinegel machte die Haustüre hinter sich zu und schlug den Weg nach dem Felde ein. Er war noch nicht sehr weit vom Hause und wollte just um den Schlehenbusch, der da vor dem Felde liegt, hinaufschlendern, als ihm der Hase begegnete, der in ähnlichen Geschäften ausgegangen war, nämlich um seinen Kohl zu besehen. Als der Swinegel des Hasen ansichtig wurde, bot er ihm einen freundlichen guten Morgen. Der Hase aber, der nach seiner Weise ein gar vornehmer Herr war und grausam hochfahrig dazu, antwortete nichts auf des Swinegels Gruß, sondern sagte zu ihm, wobei er eine gewaltig höhnische Miene annahm: »Wie kommt es denn, daß du schon bei so frühem Morgen im Felde rumläufst?«

»Ich gehe spazieren«, sagte der Swinegel.

»Spazieren?« lachte der Hase, »mir deucht, du könntest die Beine auch wohl zu besseren Dingen gebrauchen.«

Diese Antwort verdroß den Swinegel über alle Maßen, denn alles kann er vertragen, aber auf seine Beine läßt er nichts kommen, eben weil sie von Natur schief sind.

»Du bildest dir wohl ein«, sagte nun der Swinegel, »daß du mit deinen Beinen mehr ausrichten kannst?«

»Das denk' ich«, sagte der Hase.

»Nun, es käme auf einen Versuch an«, meinte der Swinegel. »Ich pariere, wenn wir wettlaufen, ich laufe dir vorbei.«

»Das ist zum Lachen, du mit deinen schiefen Beinen!« sagte der Hase, »aber meinetwegen mag es sein, wenn du so übergroße Lust hast. Was gilt die Wette?«

»Einen goldnen Lujedor und eine Buttelje Schnaps«, sagte der Swinegel.

»Angenommen«, sprach der Hase, »schlag ein und dann kann's gleich losgehen.«

»Nein, so große Eile hat es nicht«, meinte der Swinegel, »ich bin noch ganz nüchtern; erst will ich zu Hause gehn und ein bißchen frühstücken. In einer halben Stunde bin ich auf dem Platze.«

Darauf ging der Swinegel, denn der Hase war es zufrieden.

Unterwegs dachte der Swinegel bei sich: »Der Hase verläßt sich auf seine langen Beine, aber ich will ihn schon kriegen. Er dünkt sich zwar ein vornehmer Herr zu sein, ist aber doch ein dummer Kerl, und bezahlen muß er doch.« Als nun der Swinegel zu Hause ankam, sagte er zu seiner Frau: »Frau, zieh dich eilig an, du mußt mit ins Feld hinaus.«

»Was gibt es denn?« sagte die Frau.

»Ich habe mit dem Hasen um einen goldenen Lujedor und eine Buttelje Schnaps gewettet, ich will mit ihm um die Wette laufen, und da sollst du dabei sein.«

»O mein Gott, Mann!« schrie dem Swinegel seine Frau, »bist du nicht klug, hast du den Verstand verloren? Wie kannst du mit dem Hasen um die Wette laufen wollen?«

»Halt das Maul, Weib«, sagte der Swinegel, »das ist meine Sache. Räsoniere nicht in Männergeschäfte. Marsch, zieh dich an, und dann komm mit.«

Was sollte dem Swinegel seine Frau machen? Sie mußte wohl folgen, sie mochte wollen oder nicht.

Als sie nun miteinander unterwegs waren, sprach der Swinegel zu seiner Frau also: »Nun pass' auf, was ich dir sagen werde. Sieh, auf dem langen Acker, dort wollen wir unsern Wettlauf machen. Der Hase läuft nämlich in der einen Furche und ich in der andern, und von oben fangen wir an zu laufen. Nun hast du weiter nichts zu tun, als du stellst dich hier unten in die Furche, und wenn der Hase auf der andern Seite ankommt, so rufst du ihm entgegen: »Ich bin schon da.«

Damit waren sie beim Acker angelangt, der Swinegel wies seiner Frau ihren Platz an und ging nun den Acker hinauf. Als er oben ankam, war der Hase schon da.

»Kann es losgehen?« sagte der Hase.

»Jawohl«, erwiderte der Swinegel.

»Dann man zu!« Und damit stellte sich jeder in seine Furche. Der Hase zählte: »Eins, zwei, drei!« und los ging er wie ein Sturmwind den Acker hinunter. Der Swinegel aber lief nur ungefähr drei Schritte, dann duckte er sich in die Furche nieder und blieb ruhig sitzen.

Als nun der Hase im vollen Laufe unten ankam, rief ihm dem Swinegel seine Frau entgegen: »Ich bin schon da!« Der Hase stutzte und verwunderte sich nicht wenig. Er meinte nicht anders, es wäre der Swinegel selbst, der ihm das zurufe, denn bekanntlich sieht dem Swinegel seine Frau gerade so aus wie ihr Mann.

Der Hase aber meinte: »Das geht nicht mit rechten Dingen zu.« Er rief: »Noch einmal gelaufen, wieder herum!« Und fort ging es wieder wie der Sturmwind, so daß ihm die Ohren am Kopfe flogen. Dem Swinegel seine Frau aber blieb ruhig auf ihrem Platze. Als nun der Hase oben ankam, rief ihm der Swinegel entgegen: »Ich bin schon da!«

Der Hase aber, ganz außer sich vor Eifer, schrie: »Nochmal gelaufen, wieder herum!«

»Mir recht«, antwortete der Swinegel, »meinetwegen so oft als du Lust hast.«

So lief der Hase dreiundsiebzigmal, und der Swinegel hielt es immer mit ihm aus. Jedesmal, wenn der Hase unten oder oben ankam, sagte der Swinegel oder seine Frau: »Ich bin schon da.«

Zum vierundsiebzigstenmal aber kam der Hase nicht mehr zu Ende. Mitten auf dem Acker stürzte er zur Erde, das Blut floß ihm aus dem Halse, und er blieb tot auf dem Platze.

Der Swinegel aber nahm seinen gewonnenen Lujedor und die Flasche Branntwein, rief seine Frau aus der Furche ab, und beide gingen vergnügt nach Hause, und wenn sie nicht gestorben sind, leben sie noch.

So begab es sich, daß auf der Buxtehuder Heide der Swinegel den Hasen zu Tode gelaufen hat, und seit jener Zeit hat es sich kein Hase wieder einfallen lassen, mit dem Buxtehuder Swinegel um die Wette zu laufen.

Die Lehre aber aus dieser Geschichte ist erstens, daß keiner, und wenn er sich auch noch so vornehm dünkt, sich soll beikommen lassen, über den geringen Mann sich lustig zu machen, und wäre es auch nur ein Swinegel. Und zweitens, daß es geraten ist, wenn einer freit, daß er sich eine Frau aus seinem Stande nimmt, die just so aussieht als er selbst. Wer also ein Swinegel ist, der muß darauf sehen, daß seine Frau auch ein Swinegel sei.

Zitterinchen

s war einmal ein armer Taglöhner, der hatte zwei Kinder, einen Sohn mit Namen Abraham und eine Tochter, die hieß Christinchen. Beide Kinder waren noch sehr jung, als der Vater starb, und gute Menschen mußten sich ihrer annehmen, sonst wären sie umgekommen, so arm waren sie. Das Mädchen wurde eine herrlich aufblühende Schönheit, die nicht ihresgleichen hatte weit und breit. Abraham ward ein kräftiger Jüngling und kam durch Vermittlung eines Gönners als Bedienter zu einem reichen Grafen. Ehe er aber von seiner Schwester schied, ließ er sich von einem guten Freunde ihr Porträt malen und nahm es mit sich, denn er hatte sie sehr lieb. Der Graf war mit Abraham sehr wohl zufrieden, bemerkte jedoch öfters, daß er ein weibliches Porträt aus dem Busen zog und küßte; er verwunderte sich darüber, da Abraham still und sittsam war und kaum aus dem Hause kam; er fragte ihn deshalb, ob das Porträt seine Geliebte vorstellte und betrachtete sich's genauer, als Abraham sagte, es sei seine Schwester.

»Ist deine Schwester so schön«, sagte der Graf, »so wäre sie wohl wert, eines Edelmanns Weib zu sein!«

»Sie ist noch weit schöner!« entgegnete Abraham.

Der Graf war entzückt und sandte heimlich seine Amme nach dem Orte, wo sich Christinchen befand, um sie nach seinem Schlosse zu holen.

Die Amme fuhr mit einem vierspännigen Wagen vor das Haus von Christinchens Pflegeeltern, grüßte sie von ihrem Bruder, und sie solle mit ihr nach dem gräflichen Schloß fahren. Christinchen sehnte sich sehr, ihren Bruder wieder zu sehen und war bereit zu folgen; sie besaß aber ein Hündchen, das sie einst aus dem Wasser gerettet hatte, das hieß Zitterinchen und hegte große Anhänglichkeit an sie. Das Hündchen sprang mit Christinchen in den Wagen. Die Amme hatte jedoch einen schlimmen Plan gefaßt. Als sie am steilen Ufer eines großen Flusses hinfuhren, machte sie Christinchen auf die Goldfische aufmerksam, die in den blauen Wellen spielten, und da Christinchen unbefangen aus dem Kutschenschlag hinaussah, stürzte sie sie in den Fluß, während der Wagen weiterfuhr. Die Amme hatte eine Base, die schon eine alte Jungfer war; mit dieser hatte sie bereits verabredet, an einem gewissen Ort zu warten, und als der Kutscher seine Pferde tränkte, stieg sie heimlich in den Wagen. Sie trug einen dichten Schleier, und die Amme unterwies sie, dem Grafen zu sagen, sie habe ein Gelübde getan, ihren Schleier innerhalb eines halben Jahres nicht zu lüften.

Die verhüllte Dame ward vor den Grafen geführt, der sie inständig bat, den Schleier zurückzuschlagen, sie verweigerte es jedoch standhaft, und der Graf ward um so begieriger. Er vertraute der Redlichkeit seines Abraham, der die Schwester ihm noch viel schöner geschildert hatte, als das Porträt war. Er erbot sich daher, sie zu seiner Gemahlin zu erheben. Der Priester ward gerufen und die Trauung vollzogen. Nach dieser Feierlichkeit weigerte sich die Dame nicht länger, den Schleier zu lüften; doch wie erschrak der Graf, als er statt eines jugendlich frischen ein abgeblühtes Gesicht sah! Er geriet in den höchsten Zorn und ließ Abraham in ein Gefängnis werfen, trotz seiner Beteuerungen, daß diese Dame seine Schwester nicht sei; das betrügerische Bildnis ließ er in den Rauchfang hängen.

Eines Tages hatte der Bediente, der in des Grafen Vorzimmer schlief, eine seltsame Erscheinung. Eine weiße Gestalt stand vor seinem Bette und rasselte mit Ketten und sprach in leisem, wehklagendem Ton: »Zitterinchen, Zitterinchen!« Darauf kroch das Hündchen, das bisher im Schlosse geduldet worden war, unter dem Bette hervor, wo es geschlafen, und antwortete: »Mein allerliebstes Christinchen!«

»Wo ist mein Bruder Abraham?« fragte die Gestalt weiter.

»Er liegt gar hart gefangen in Ketten und Banden!« versetzte das Hündchen.

»Wo ist mein Bild?«

»Es hängt im Rauch.«

»Wo ist die alte Kammerfrau?«

»Sie liegt in des Grafen Arm.«

»Daß Gott erbarm! Nun komm' ich zweimal noch, und werd' ich nicht erlöst, so bin ich verloren für dieses Leben.«

Die Gestalt zerfloß darauf wie ein Nebel. Der Bediente glaubte geträumt zu haben und sagte seinem Herrn nichts von der Erscheinung. Aber in der folgenden Nacht ward dieselbe Szene vor seinem Bett aufgeführt, doch rasselte die Gestalt mit ihren Ketten mehr als das vorige Mal und sagte, sie werde nun noch einmal kommen. Diesmal war der Bediente seiner Sache gewiß; er entdeckte den Vorgang seinem Herrn; dieser ward nachdenklich und entschloß sich, die Erscheinung zu belauschen. Er stand um die zwölfte Stunde hinter der angelehnten Türe des Schlafzimmers und lauschte. Endlich sah er die weiße Gestalt plötzlich in dem Dunkel des Vorzimmers auftauchen, hörte sie mit ihren Ketten rasseln und sprechen: »Zitterinchen, Zitterinchen!« und das Hündchen antwortete: »Mein allerliebstes Christinchen!«

»Wo ist mein Bruder Abraham?«

»Er ist gar hart gefangen und liegt in Ketten und Banden.«

»Wo ist mein Bild?«

»Es hängt im Rauch.«

»Wo ist die alte Kammerfrau?«

»Sie liegt in des Grafen Arm.«

»Daß Gott erbarm!«

Da öffnete der Graf rasch die Türe, griff nach der Erscheinung und hielt eine schwere Kette in der Hand, die in dem Augenblick sich von der Gestalt abstreifte. Die gespenstische Erscheinung war zu einem holden Frauenbild geworden, das ihn anlächelte und das wohl Ähnlichkeit mit jenem Bilde hatte, aber es an Schönheit noch weit übertraf. Der Graf war entzückt und bat um Enträtse-

lung des Geheimnisses. Nun erzählte Christinchen, wie die alte Amme sie arglistig ins Wasser gestürzt, die Nixen sie aber mit ihren grünen Schleiern aufgefangen und sie in ihren unterirdischen Palast geführt hatten. Sie habe eine der ihrigen werden sollen, habe sich jedoch geweigert, und die Nixen hätten ihr endlich erlaubt, in drei Nächten in des Grafen Vorgemach zu erscheinen. Würden zu diesen dreien Malen ihre Ketten nicht gelöst, so sei sie unwiderruflich verbunden, eine Nixe zu werden.

Der Graf war über diesen Bericht ebenso erfreut als erstaunt. Abraham wurde seiner Haft entlassen und in die Gunst des Grafen erhoben, in denselben Kerker aber ward die böse Amme geworfen, und ihre Base aus dem Schlosse gepeitscht; Christinchens Bild wurde aus dem Rauchfang genommen, und der Graf trug es auf seinem Herzen, Christinchen selbst aber ward seine Gemahlin. Zitterinchen leckte schmeichelnd die Hand der Herrin; als sie ihm aber liebkosend versprach, daß es nun gute Tage bei ihr haben sollte, verwandelte sich's in eine schöne Prinzessin, die dem verwunderten Christinchen ihr Schicksal erzählte. Sie war von einer bösen Zauberfrau verwünscht gewesen und war durch Christinchens Erlösung selbst erlöst worden.

Aschenbrödel

in Mann und eine Frau hatten zwei Töchter, und war auch noch eine Stieftochter da, des Mannes erstes liebes Kind, gar fromm und gut, aber nicht gern gesehen von ihrer Stiefmutter und Stiefschwestern, deshalb wurde es auch schlecht behandelt. Es mußte in der Küche den ganzen Tag über wohnen, alle Küchenarbeit tun, früh aufstehen, kochen, waschen und scheuern, und nachts mußte es in der Bodenkammer schlafen. Da kroch es bisweilen lieber in die Asche am Küchenherd und wärmte sich, und da es davon nicht sauber aussehen konnte, so wurde es von der Mutter und den Schwestern noch obendrein Aschenbrödelchen genannt, aus Spott und Bosheit.

Einst war der Vater zur Messe gereist und hatte die Mädchen gefragt, was er ihnen mitbringen solle; da hatte die eine schöne Kleider, die andere Perlen und Edelgesteine gewünscht, Aschenbrödel aber nur ein grünes Haselreis. Diese Wünsche hatte der Vater auch erfüllt. Die Schwestern putzten und schmückten sich, Aschenbrödel aber pflanzte das Reis auf das Grab ihrer Mutter und begoß es alle Tage mit ihren Tränen. Da wuchs das Reis sehr schnell und wurde ein schönes Bäumlein, und wenn Aschenbrödel auf dem Grab ihrer Mutter weinte, so kam allemal ein Vöglein geflogen, das sah sie mitleidig an.

Da begab sich's, daß der König ein Fest anstellte und dazu alle Jungfrauen des Landes einladen ließ, denn sein Sohn sollte sich aus ihnen eine Braut wählen. Und da schmückten sich die Schwestern überaus reizend, und Aschenbrödel mußte ihnen die Haare kämmen und schöne Zöpfe flechten, und daß sie auch gern zum Tanz mitgehen mochte, das fiel gar niemand ein. Als sie endlich es wagte, um Erlaubnis zu bitten, ward sie schrecklich ausgelacht, daß sie sich einfallen ließe, zum Tanz gehen zu wollen, da sie doch keine schönen Kleider habe und nicht einmal Schuhe. Die böse Stiefmutter nahm geschwind eine Schüssel voll Linsen, warf diese in die Asche und sagte: »So, so, Aschenbrödel, mache dir etwas zu tun, lies erst die Linsen, dann sollst du mitgehen, mußt aber in zwei Stunden fertig sein.«

Das arme Kind ging in den Garten und rief dem Vöglein auf ihrem Haselnußbaum, und auch den Täubchen, daß sie lesen sollten: die guten ins Töpfchen, die schlechten ins Kröpfchen. Und bald wimmelte es von Tauben und andern Vögeln; da währte es gar nicht lange, so war die Schüssel voll Linsen ganz rein gelesen. Aber wie das gute Mädchen voller Freude die Linsen brachte, ärgerte sich die Stiefmutter, und schüttete jetzt zwei Schüsseln voll Linsen in die Asche, und die sollte es nun auch noch in zwei Stunden lesen. Aschenbrödel weinte, rief aber die Vöglein wieder, und bald war auch diese Arbeit getan. Es wurde ihr aber dennoch nicht Wort gehalten, sondern sie wurde ausgelacht, denn sie habe ja keine Kleider und keine Schuhe, und wie sie sei, könnte sie sich nimmermehr sehen lassen, auch müsse der Königssohn und jeder andre einen schlechten Geschmack haben, der mit ihr tanze, und da gingen jene Stolzen fort und ließen Aschenbrödel tief betrübt zurück. Die ging zu ihrem Bäumchen und weinte bitterlich, da kam das Vöglein geflogen und rief:

> »Mein liebes Kind, o sage mir,
> Was du wünschest, schenk' ich dir!«

Da rief Aschenbrödel, indem sie das Bäumchen anfaßte:

> »O liebes Bäumchen, rüttle dich!
> O liebes Bäumchen, schüttle dich!
> Wirf schöne Kleider über mich!«

Da flog ein schönes Kleid herunter und kostbare Strümpfe und Schuhe, das zog Aschenbrödel geschwind an und ging auf den

Ball, und das Mädchen war so schön, ach so schön, daß es gar niemand kannte, auch nicht einmal seine Mutter und seine Schwestern, und der Königssohn tanzte nur mit ihm und mit keiner andern Jungfrau, und als es abends nach Hause ging, wollte er ihm folgen, es entwich ihm aber, zog geschwind Kleid und Schuhe aus auf dem Grabe, unter dem Bäumchen, und legte sich in seine Asche. Kleider und Schuhe verschwanden augenblicklich.

So ging es noch zweimal, immer kam Aschenbrödel unerkannt und in stets schönern Kleidern zum Tanze, immer tanzte der Prinz nur mit ihm, und immer folgte dieser, und beim drittenmal verlor es von ungefähr den einen goldnen Schuh; der Königssohn hob ihn auf, bewunderte seine Zierlichkeit und sprach es laut, ließ es auch durch die Herolde kund tun, nur die Jungfrau, an deren Fuß der kleine Schuh passe, solle seine Gemahlin werden, und ritt von Haus zu Haus, die Probe zu machen.

Vergebens probierten die beiden Schwestern den kleinen Schuh; es war, als ob ihre Füße ordentlich größer würden, da fragte der Königssohn, ob nicht drei Töchter da wären? Und der Mann sagte: »Ja, Herr Prinz! Noch ein kleines Aschenbrödelchen!« Und die Mutter setzte gleich hinzu: »die sich nicht sehen lassen kann.« Der Königssohn wollte sie aber doch sehen; Aschenbrödel wusch sich fein und rein, und trat ein, auch in ihrem aschgrauen Kittelchen durch ihre Schönheit die Schwestern überstrahlend. Und wie es den goldnen Schuh anzog, so paßte er prächtig, wie angegossen. Und der Königssohn erkannte sie nun auch gleich wieder und rief: »Das ist meine holde Tänzerin, meine liebe Braut!« nahm sie, führte sie aufs Schloß und befahl, ein stattliches Hochzeitsfest zuzurüsten.

Beim Kirchgang hatte Aschenbrödel ein ganz goldenes Kleid an und ein goldenes Krönlein auf dem Kopf; ihre Schwestern gingen ihr voll Neid zur Rechten und zur Linken. Da kam das Vöglein vom Haselbäumchen und pickte jeder ins Auge, daß dies erblindete. Als nun die Braut aus der Kirche ging, kam wieder das Vöglein und pickte wieder jeder das andere Auge aus, und so waren sie für ihren Neid und Bosheit mit Blindheit geschlagen ihr Leben lang.

Gott Überall

s waren ein Paar Geschwister, hießen Görgel und Lieschen, seelengute Kinder, die blieben einmal ganz allein zu Hause; ihre Eltern waren über Feld gegangen und trugen Körbe, die sie von Weiden geflochten hatten, zum Verkauf in die Stadt. Zwar hatten die guten Eltern ihren Kindern, Görgeln und Lieschen, jedem ein ziemliches Stück Brot gegeben, davon sie sich diesen Tag über nähren sollten, allein bald hatte Görgel seines aufgezehrt und verspürte noch Eßlust, hatte aber nichts mehr zu brocken und nichts mehr zu beißen. Lieschen gab ihm noch ein wenig von ihrem Brot, doch auch dieses sättigte den Jungen nicht ganz, und er fing an, mit schelmischen Schmeichelworten zu seinem jüngern Schwesterchen zu reden: »Komm, lieb' Lieschen, wir wollen ein wenig von dem süßen Rübensaft naschen, den die Mutter draußen im Schrank aufbewahrt, es ist ein großer Topf voll, sie merkt es gewiß nicht dran, und es sieht's ja auch gar niemand.« Aber Lieschen sprach: »Ei, du bist sehr böse, Görgel, wenn du das tust; siehst du nicht die Sonnenstrahlen dort am Schrank? Die läßt der liebe Gott hinanscheinen, und der sieht's auch, wenn wir naschen.« Da sprach Görgel: »So wollen wir auf den Dachboden gehen, wo die Mutter schöne Birnen liegen hat, davon wollen wir essen, dort ist kein Fenster, kann die Sonne nicht hineinscheinen, und dort sieht uns also der liebe Gott auch nicht.«

Lieschen weigerte sich anfangs, endlich gingen die Kinder doch nach dem Dachboden; aber hier fielen die gebrochenen Sonnenstrahlen reichlich durch die Lücken der Dachziegel und flimmerten ganz eigentümlich über den Birnen, als wenn sie darauf tanzten, und Lieschen sprach wieder: »O Görgel, auch hier sieht uns der liebe Gott, hier dürfen wir nicht naschen.« Sie gingen wieder herunter, und auf der Treppe fiel dem Görgel etwas bei, was er gleich aussprach: »Ei, im Keller hat die Mutter ein Töpfchen voll Rahm stehen, und drunten ist's ganz dunkel, da kann unmöglich der liebe Gott hineinsehen; komm, laß uns hinuntergehen, Lieschen, komm geschwind, geschwind!«

Görgel faßte sein zögerndes Schwesterchen fest an der Hand und zog es schnell mit sich fort, hinunter in den Keller, wo er sorgfältig die Türe von innen zumachte, daß kein Tag hinein

scheine und es der liebe Gott nicht sähe, wenn sie von dem Rahm naschten. Aber nach einigen Minuten wurde es ein wenig licht im Keller, Lieschen sah, daß durch eine Mauerspalte die liebe Sonne herein schien und gerade auf das Rahmtöpfchen, da erschrak das gute Lieschen und ging eilig wieder hinauf in die Stube. Görgel aber blieb, verstopfte ärgerlich die Spalte mit Moos und fing an, von dem Rahm zu essen. Doch wie er im besten Lecken und Schlecken war, rollte ein mächtiger Donner über ihn, und der Blitz zuckte durch die Mauerspalte, daß es ganz hell und feurig im Keller war, und ein schwarzer Mann stieg aus einer Ecke des Kellers, schritt auf Görgeln zu und setzte sich ihm gerade gegenüber; er hatte zwei feurige Augen, mit denen er fort und fort nach dem Rahmtöpfchen hinfunkelte, so daß der Görgel vor Angst keinen Finger regen konnte und daß er ganz still sitzenbleiben mußte.

Indessen war zum Lieschen droben in der Stube ein gar holdes Engelein gekommen, hatte ihm, nebst vielen schönen Spielsachen und Kleidern, auch Zuckerküchlein und süße Milch gebracht und hatte so lange mit Lieschen gespielt, bis dessen Eltern zurückkamen, die mit großer Freude die schönen Sachen betrachteten. Als dieselben nach dem Görgel fragten, erschrak Lieschen, denn sie hatte über die schönen Geschenke von dem Engelskindlein ganz vergessen, daß ihr Bruder im Keller geblieben war, und rief nun: »Ach, du lieber Gott, der ist ja noch im Keller, wir wollen ihn geschwinde holen, vielleicht kann er die Türe nicht wieder aufbringen.« Alle gingen schnell hinunter, machten die Kellertüre auf, und siehe, da saß Görgel noch ganz starr und hielt den Rahmtopf in der Hand. Und wie er das Geräusch hörte und seine Mutter sahe, erschrak er heftig und fuhr zusammen und weinte. Und die Mutter nahm ihm den halbgeleerten Rahmtopf aus den Händen, führte ihn heraus aus dem Keller und gab ihm seinen wohlverdienten Plätzer.

Der Görgel hat aber in seinem ganzen Leben nicht wieder genascht, und wenn später manchmal andere ihn zu etwas Bösem verleiten wollten und zu Taten, die das Licht scheuen, so sagte er immer: »Ich tu's nicht, ich gehe nicht mit, der Gott Überall sieht's. Gott behüte mich!« – Und ist ein durchaus rechtlicher und braver Mann geworden.

Der Wacholderbaum

s ist nun schon lange her – wohl zweitausend Jahre –, da war einmal ein reicher Mann, der hatte eine schöne, fromme Frau, und die hatten sich beide recht lieb; aber sie hatten keine Kinder, sie wünschten sich aber gar sehr welche, und die Frau betete oft darum Tag und Nacht, aber sie kriegten keine und kriegten keine. Vor ihrem Hause war ein Hof, auf dem stand ein Wacholderbaum; unter diesem stand eines Tages im Winter die Frau und schälte sich einen Apfel, und als sie sich den Apfel so schälte, so schnitt sie sich in den Finger, und das Blut floß in den Schnee. »Ach«, sagte die Frau und seufzte so recht dabei auf, sah das Blut vor sich an und war tief wehmütig, »hätte ich doch ein Kind, so rot als Blut und so weiß wie Schnee.« Und als sie das sagte, so wurde ihr wieder fröhlich zumute, es war ihr, als sollte das wahr werden. Da ging sie wieder ins Haus, und als ein Monat vorbei war, da war der Schnee vergangen, und zwei Monat, da war es grün, und drei Monat, da kamen die Blumen aus der Erde, und vier Monat, da drängten sich alle Bäume in dem Holze, und die grünen Zweige waren alle ineinander gewachsen. Dort sangen die Vöglein, daß das ganze Holz erschallte, und die Blüten fielen von den Bäumen. Da war der fünfte Monat vorbei, und die Frau stand wieder unter dem Wacholderbaum, dort sprang ihr das Herz vor Freude, und sie fiel auf die Knie und wußte sich gar nicht zu lassen. Und als der sechste Monat vorbei war, da wurden die Früchte dick und stark, und sie wurde ganz still, und im siebenten Monat, da griff sie nach den Beeren und aß sich recht satt; da wurde sie traurig und krank. Der achte Monat ging hin, und sie rief ihren Mann und weinte und sagte, wenn ich sterbe, so begrabet mich unter dem Wacholderbaume. Da war sie ganz getrost und freute sich, bis der neunte Monat vorbei war; da kriegte sie ein Kind, so weiß wie

Schnee und so rot wie Blut, und als sie das sah, da freute sie sich so, daß sie starb.

Da begrub ihr Mann sie unter den Wacholderbaum, und er fing an, gar sehr zu weinen. Eine Zeitlang und das ließ nach, und da er noch ein wenig geweint hatte, da wurde er wieder heiterer, und noch eine Zeit, da nahm er wieder eine Frau. Mit der zweiten Frau kriegte er eine Tochter, das Kind aber von der ersten Frau war ein kleiner Junge; der war so rot wie Blut und so weiß wie Schnee. Wenn die Frau ihre Tochter ansah, so hatte sie sie gar sehr lieb, aber wenn sie dann den kleinen Jungen ansah, da ging es ihr immer durchs Herz, und es deuchte ihr, als stünde er ihr überall im Wege, und sie dachte dann immer, wie sie ihrer Tochter all das Vermögen zuwenden wollte. Das aber hatte ihr der Böse eingegeben. Sie wurde nun dem kleinen Jungen ganz gram, stieß ihn herum von einer Ecke in die andere, puffte ihn hier und knuffte ihn dort, so daß das arme Kind immer in Angst war. Wenn es aus der Schule kam, hatte es nichts, wo es ruhig sitzen konnte.

Einmal war die Frau in die Kammer gegangen, da kam das kleine Töchterchen auch herauf und sagte: »Mutter, gib mir einen Apfel.«

»Ja, mein Kind«, sagte die Frau und gab ihr einen schönen Apfel aus der Kiste; die Kiste aber hatte einen großen, schweren Deckel mit einem großen, scharfen, eisernen Schlosse.

»Mutter«, sagte das Töchterchen, »soll Brüderchen nicht auch einen haben?«

Das verdroß die Frau, doch ließ sie's nicht merken und sagte: »Ja, wenn er aus der Schule kommt.« Und als sie ihn durch das Fenster gewahr wurde, so war ihr doch gerade so, als wenn der Böse über sie käme. Schnell nahm sie ihrer Tochter den Apfel wieder weg und sagte: »Du sollst nicht eher einen haben als Bruder.« Darauf warf sie den Apfel in die Kiste und machte sie zu. Als nun der kleine Junge in die Türe trat, da sagte sie ganz freundlich zu ihm: »Mein Sohn, willst du einen Apfel haben?« und sah ihn dabei ganz böse an.

»Mutter«, sagte der kleine Junge, »was siehst du mich so gräsig an! Ja, gib mir einen Apfel.«

»Komm mit mir«, sagte sie und machte den Deckel auf. »Hol’ dir einen Apfel heraus.«

Und als sich der kleine Junge hineinbückt, – da rät ihr der Böse. – Bratsch! schlug sie den Deckel zu, daß der Kopf des kleinen Jungen abflog und unter die roten Äpfel fiel. Da überlief es sie, und sie dachte in großer Angst: »Wie kann ich das wohl von mir abbringen!« Da ging sie hinunter in die Stube und holte aus der untersten Schublade der Kommode ein weißes Tuch; nun setzte sie den Kopf auf den Leib und band das Halstuch so um, daß man nichts sehen konnte, dann setzte sie ihn vor die Türe auf einen Stuhl und gab ihm den Apfel in die Hand.

Bald darauf kam Marlenchen zu ihrer Mutter in die Küche; die stand beim Feuer und rührte immer in einem Topfe. »Mutter«, sagte Marlenchen; »Bruder sitzt vor der Tür und sieht ganz weiß aus; er hat einen Apfel in der Hand; ich habe ihn gebeten, er soll mir den Apfel geben, aber er antwortet nicht, und da wurde mir ganz graulich.«

»Geh noch einmal hin zu ihm«, sagte die Mutter, »und wenn er dir wieder nicht antworten will, so gib ihm eins hinter die Ohren.«

Da ging Marlenchen hin und sagte: »Bruder, gib mir den Apfel.« Aber er schwieg still, da gab sie ihm eins an die Ohren, und da fiel der Kopf herunter; darüber nun erschrak sie sich und fing an gar sehr zu weinen; sie lief zur Mutter und sagte: »Ach Mutter, ich hab’ meinem Bruder den Kopf abgeschlagen«, und weinte und weinte und wollte sich nicht zufrieden geben.

»Marlenchen«, sagte die Mutter, »was hast du getan! Aber sei nur still, daß es kein Mensch merkt, das ist nun doch einmal nicht zu ändern; wir wollen ihn in Essig kochen.«

Da nahm die Mutter den kleinen Jungen, hackte ihn in Stücken, tat sie in einen Topf und kochte ihn im Essig. Marlenchen aber stand dabei und weinte und weinte, und die Tränen fielen alle in den Topf, so daß sie gar kein Salz brauchten.

Da kam der Vater nach Haus, setzte sich zu Tisch und sagte: »Wo ist denn mein Sohn?« Da trug die Mutter eine große, große Schüssel auf mit Schwarzsauer, und Marlenchen weinte und konnte sich gar nicht halten. Da sagte der Vater wieder: »Wo ist denn mein Sohn?«

»Ach«, sagte die Mutter, »er ist über Land gegangen zum Großohm, er will dort eine Zeitlang bleiben.«

»Was tut er denn dort? Er hat nicht einmal Adieu zu mir gesagt.«

»Er wollte gern hin und fragte mich, ob er wohl sechs Wochen bleiben könnte; er ist ja dort gut aufgehoben.«

»Ach!« sagte der Mann, »ich bin recht traurig, und es ist doch nicht recht, er hätte mir doch Adieu sagen sollen.« Damit fing er

an zu essen und sagte: »Marlenchen, was weinst du? Bruder wird wohl wieder kommen. Ach, Frau«, sagte er dann, »was schmeckt mir das Essen gut, gib mir mehr!« Und je mehr er aß, je mehr wollte er haben, und er sagte immer: »Gebt mir mehr, ihr sollt nichts davon haben, das ist, als wenn das alles mein wäre.«

Und er aß und aß, und die Knochen warf er alle unter den Tisch, bis alles alle war. Marlenchen aber ging hin zu ihrer Kommode und nahm aus der untersten Schublade ihr bestes seidenes Tuch; holte all die Knochen unter dem Tische hervor, band sie in das seidene Tuch und trug sie vor die Tür und weinte ihre blutigen Tränen. Dort legte sie sie unter den Wacholderbaum in das grüne Gras, und als sie sie dort hingelegt hatte, da war ihr mit einem Male so recht leicht und sie weinte nicht mehr. Da fing der Wacholderbaum an sich zu bewegen, und die Zweige taten sich immer voneinander und dann wieder zusammen, so als wenn sich einer recht freut und mit den Händen so tut. Damit ging durch den Baum ein Nebel und durch den Nebel brannte ein Feuer, und aus dem Feuer flog ein schöner Vogel heraus, der sang so herrlich und flog hoch in die Luft, und als er weg war, da war der Wacholderbaum, wie er vorher gewesen war, aber das Tuch mit den Knochen war weg. Marlenchen aber war recht vergnügt, als ob der Bruder noch lebte. Da ging sie wieder ganz lustig in das Haus, setzte sich zu Tisch und aß.

Der Vogel aber flog weg, setzte sich auf eines Goldschmieds Haus und fing nun an zu singen:

> »Mein Mutter, die mich g'schlacht',
> Mein Vater, der mich aß,
> Meine Schwester, das Marlenichen,
> Sucht alle meine Beenichen,
> Bind' sie in ein seiden Tuch,
> Legt's unter den Wacholderbaum.
> Kiwit, Kiwit,
> Was für ein schöner Vogel bin ich.«

Der Goldschmied saß in seiner Werkstatt und machte gerade eine
goldene Kette, da hörte er den Vogel, der auf seinem Dache saß
und sang, und das deuchte ihm gar zu schön. Da stand er auf, und
als er über den Flur ging, da verlor er einen Pantoffel. Er ging aber
so recht mitten in die Straße hin und hatte nur einen Pantoffel
und einen Socken an. Er hatte sein Schurzfell vor, und in der
einen Hand die goldene Kette und in der andern Hand die Zange;
die Sonne schien so hell auf die Straße. Da stellte er sich so, daß er
den Vogel gut sehen konnte. »Vogel«, sagte er, »wie schön kannst
du singen! Sing' mir das Stück nochmal.«

»Nein«, sagte der Vogel, »zweimal singe ich nicht umsonst.
Gib mir die goldene Kette, so will ich es nochmals singen.« –
»Da«, sagte der Goldschmied, »hast du die goldene Kette, nun
singe es mir nochmal.« Da kam der Vogel, nahm die goldene Kette
ins rechte Pfötchen, setzte sich vor den Goldschmied hin und
sang:

> »Meine Mutter, die mich g'schlacht',
> Mein Vater, der mich aß,
> Meine Schwester, das Marlenichen,
> Sucht alle meine Beenichen,
> Bind' sie in ein seiden Tuch,
> Legt's unter den Wacholderbaum.
> Kiwit, Kiwit,
> Was für ein schöner Vogel bin ich.«

Da flog der Vogel weg und setzte sich auf das Dach eines Schusters
und sang:

> »Meine Mutter, die mich g'schlacht',
> Mein Vater, der mich aß,
> Meine Schwester, das Marlenichen,
> Sucht alle meine Beenichen,
> Bind' sie in ein seiden Tuch,

219

Legt's unter den Wacholderbaum.
Kiwit, Kiwit.
Was für ein schöner Vogel bin ich.«

Als der Schuster das hörte, lief er in Hemdsärmeln vor seine Türe, sah nach seinem Dache und mußte die Hand vor die Augen halten, damit ihn die Sonne nicht blende.

»Vogel«, sagte er, »was kannst du schön singen!« Da rief er in seine Türe hinein: »Frau, komm mal heraus, da ist ein Vogel, der kann mal schön singen.«

Dann rief er auch seine Tochter, seine Kinder und Gesellen, die Lehrjungen und die Magd, und sie kamen alle auf die Straße und sahen den Vogel an, und wie schön er war; er hatte so schöne rote und grüne Federn, und um den Hals war es wie lauter Gold und die Augen blinkten ihm im Kopfe wie Sterne.

»Vogel«, sagte der Schuster, »nun sing' mir das Stück nochmal.«

»Nein«, sagte der Vogel, »zweimal singe ich nicht umsonst, du mußt mir was schenken.«

»Frau«, sagte der Mann, »gehe in den Laden, auf dem obersten Brett, da stehen ein Paar rote Schuh', die bring' heraus.« Da ging die Frau hin und holte die Schuhe. »Da Vogel«, sagte der Mann, »nun sing' mir das Stück nochmal.« Da kam der Vogel, nahm die Schuhe mit dem linken Pfötchen, flog wieder auf das Dach und sang:

> »Meine Mutter, die mich g'schlacht',
> Mein Vater, der mich aß,
> Meine Schwester, das Marlenichen,
> Sucht alle meine Beenichen,
> Bind' sie in ein seiden Tuch,
> Legt's unter den Wacholderbaum.
> Kiwit, Kiwit.
> Was ist ein schöner Vogel bin ich.«

Als er ausgesungen hatte, flog er fort. Die Kette hatte er in dem rechten und die Schuhe in dem linken Pfötchen, und er flog weit weg nach einer Mühle, und die Mühle ging klipp klapp, klipp klapp, klipp klapp. In der Mühle saßen zwanzig Knappen, die behauten einen Stein und hackten hick hack, hick hack, hick hack, und die Mühle ging klipp klapp, klipp klapp, klipp klapp. Da setzte sich der Vogel auf einen Lindenbaum, der vor der Mühle stand, und sang:

>>Meine Mutter, die mich g'schlacht'<<,
da hörte ein Knappe auf,
>>Mein Vater, der mich aß<<,
da hörten noch zwei auf und hörten zu,
>>Meine Schwester, das Marlenichen<<,
da hörten wieder viere auf,
>>Sucht alle meine Beenichen<<,
nun hauten nur noch dreizehn,
>>Bind' sie in ein seiden Tuch<<,
jetzt nur noch sieben,
>>Legt's unter<<
jetzt nur fünf,
>>den Wacholderbaum.<<
Nur noch einer.
>>Kiwit, Kiwit.
Was für ein schöner Vogel bin ich.<<

Da hielt der letzte auch inne und hatte das Letzte noch gehört. >>Vogel<<, sagte er, >>was singst du schön! Laß mich das auch hören, singe das nochmal.<<

>>Nein<<, sagte der Vogel, >>zweimal singe ich nicht umsonst; gib mir den Mühlstein, so will ich es nochmal singen.<<

>>Ja<<, sagte er, >>wenn er mir allein gehörte, so solltest du ihn haben.<<

Da sagten die andern: >>Wenn er nochmal singt, so soll er ihn haben.<<

Da kam der Vogel herunter und alle zwanzig Knappen faßten an und hoben mit Hebebäumen den Stein auf. Da steckte der Vogel den Hals durch das Loch und nahm ihn um, als ob es ein Kragen wäre, flog wieder auf den Baum und sang:

>»Meine Mutter, die mich g'schlacht',
Mein Vater, der mich aß,
Meine Schwester, das Marlenichen,
Sucht alle meine Beenichen,
Bind' sie in ein seiden Tuch,
Legt's unter den Wacholderbaum.
Kiwit, Kiwit.
Was für ein schöner Vogel bin ich.«

Als er ausgesungen hatte, da tat er die Flügel auseinander, und hatte in dem rechten Pfötchen die Kette, in dem linken die Schuh und um den Hals den Mühlstein und flog fort damit nach seines Vaters Hause. In der Stube saß der Vater, die Mutter und Marlenchen bei Tisch, und der Vater sagte: »Ach, wie wird mir so leicht und wohl zumute.«

»Ach nein«, sagte die Mutter, »mir ist es angst, als wenn ein schweres Gewitter käme.«

Marlenchen aber saß und weinte und weinte, da kam der Vogel angeflogen, und als er sich auf das Dach setzte, sagte der Vater: »Mir ist so recht freudig ums Herz, und die Sonne scheint draußen so schön, mir ist gerade, als sollte ich einen alten Bekannten wieder sehen.«

»Ach nein«, sagte die Frau, »mir ist so angst, die Zähne klappern mir, mir ist, als hätte ich Feuer in den Adern.«

Aber Marlenchen saß in der Ecke und weinte und hatte ein Tuch vor den Augen und weinte das Tuch ganz naß. Da setzte sich der Vogel auf den Wacholderbaum und sang:

>»Meine Mutter, die mich g'schlacht'.«

Da hielt die Mutter die Ohren zu und kniff die Augen zusammen, denn sie wollte nicht sehen noch hören; aber das brauste ihr in den Ohren, wie der stärkste Sturm, und die Augen brannten und zuckten ihr wie Blitze.

»Mein Vater, der mich aß«,

»Ach Mutter«, sagte der Mann: »das ist ein schöner Vogel, der singt so herrlich, die Sonne scheint so warm, und das riecht wie lauter Maiblumen.«

»Meine Schwester, das Marlenichen«,

Da legte Marlenchen den Kopf auf die Knie und weinte immerfort, der Mann aber sagte: »Ich gehe hinaus, ich muß den Vogel in der Nähe sehen.« – »Ach geh' nicht«, sagte die Frau, »mir ist, als bebte das ganze Haus und stände in Flammen.« Aber der Mann ging hinaus und sah den Vogel an.

»Sucht alle meine Beenichen,
Bind' sie in ein seiden Tuch,
Legt's unter den Wacholderbaum.
Kiwit, Kiwit.
Was für ein schöner Vogel bin ich.«

Dabei ließ der Vogel die goldene Kette fallen, und sie fiel dem Manne just um den Hals, gerade so, daß sie ihm so recht schön paßte. Da ging er hinein und sagte: »Sieh, was ist das für ein guter Vogel; er hat mir diese schöne Kette geschenkt, und er sieht so prächtig aus.« Der Frau aber wurde so angst, daß sie niederstürzte, wobei ihr die Mütze vom Kopfe fiel. Da sang der Vogel wieder:

»Meine Mutter, die mich g'schlacht'«,

»Ach, daß ich tausend Klafter unter der Erde wäre, damit ich das nicht hören müßte.«

»Mein Vater, der mich aß«,

Da fiel die Frau für tot nieder.

»Meine Schwester, das Marlenichen«,

»Ach«, sagte Marlenchen, »ich will auch hinausgehen und sehen, ob mir der Vogel was schenkt.« Und da ging sie hinaus.

»Sucht alle meine Beenichen,
Bind' sie in ein seiden Tuch«,

Da warf er ihr die Schuhe herunter.

»Legt's unter den Wacholderbaum.
Kiwit, Kiwit.
Was für ein schöner Vogel bin ich.«

Da wurde sie ganz vergnügt und fröhlich; sie zog die neuen roten Schuhe an, tanzte und sprang hinein.

»Ach«, sagte sie, »ich war so traurig, als ich hinausging, und nun bin ich lustig; das ist mal ein herrlicher Vogel; hat mir ein Paar Schuhe geschenkt.«

»Nein«, sagte die Frau und sprang auf, und die Haare standen ihr zu Berge wie Feuerflammen, »mir ist als sollte die Welt untergehen! Ich will auch hinaus, vielleicht wird es mir auch leichter.« Und als sie aus der Türe kam, bratsch! warf ihr der Vogel den Mühlstein auf den Kopf, daß sie ganz zerquetscht wurde. Als der Vater und Marlenchen das hörten, gingen sie hinaus, da sahen sie Dampf, Flammen und Feuer auf der Stelle, und als das verloschen war, da stand der kleine Bruder da, der nahm den Vater und Marlenchen bei der Hand. Alle drei waren nun recht vergnügt und gingen in das Haus, setzten sich zu Tische und aßen.

Das Märchen vom Ritter Blaubart, zu Seite 225

Das Märchen vom Ritter Blaubart

s war einmal ein gewaltiger Rittersmann, der hatte viel Geld und Gut und lebte auf seinem Schlosse herrlich und in Freuden. Er hatte einen blauen Bart, davon man ihn nur Ritter Blaubart nannte, obschon er eigentlich anders hieß, aber sein wahrer Name ist verloren gegangen. Dieser Ritter hatte sich schon mehr als einmal verheiratet, allein man hatte gehört, daß alle seine Frauen schnell nacheinander gestorben seien, ohne daß man eigentlich ihre Krankheit erfahren hatte. Nun ging Ritter Blaubart abermals auf Freiersfüßen, und da war eine Edeldame in seiner Nachbarschaft, die hatte zwei schöne Töchter und einige ritterliche Söhne, und diese Geschwister liebten einander sehr zärtlich. Als nun Ritter Blaubart die eine dieser Töchter heiraten wollte, hatte keine von beiden rechte Lust, denn sie fürchteten sich vor des Ritters blauem Bart und mochte sich auch nicht gern voneinander trennen. Aber der Ritter lud die Mutter, die Töchter und die Brüder samt und sonders auf sein großes schönes Schloß zu Gaste und verschaffte ihnen dort so viel angenehmen Zeitvertreib und so viel Vergnügen durch Jagden, Tafeln, Tänze, Spiele und sonstige Freudenfeste, daß sich endlich die jüngste der Schwestern ein Herz faßte und sich entschloß, Ritter Blaubarts Frau zu werden. Bald darauf wurde auch die Hochzeit mit vieler Pracht gefeiert.

Nach einer Zeit sagte der Ritter Blaubart zu seiner jungen Frau: »Ich muß verreisen und übergebe dir die Obhut über das ganze Schloß, Haus und Hof, mit allem, was dazu gehört. Hier sind auch die Schlüssel zu allen Zimmern und Gemächern, in alle diese kannst du zu jeder Zeit eintreten. Aber dieser kleine goldene Schlüssel schließt das hinterste Kabinett am Ende der großen Zimmerreihe. In dieses, meine Teure, muß ich dir verbieten zu gehen, so lieb dir meine Liebe und dein Leben ist. Würdest du dieses Kabinett öffnen, so erwartet dich die schrecklichste Strafe der Neugier. Ich müßte dir dann mit eigner Hand das Haupt vom Rumpfe trennen!«

Die Frau wollte auf diese Rede den kleinen goldnen Schlüssel nicht annehmen, indes mußte sie dies tun, um ihn sicher aufzubewahren, und so schied sie von ihrem Mann mit dem Versprechen, daß es ihr nie einfallen werde, jenes Kabinett aufzuschließen und es zu betreten.

Als der Ritter fort war, erhielt die junge Frau Besuch von ihrer Schwester und ihren Brüdern, die gerne auf die Jagd gingen; und nun wurden mit Lust alle Tage die Herrlichkeiten in den vielen vielen Zimmern des Schlosses durchmustert, und so kamen die Schwestern auch endlich an das Kabinett.

Die Frau wollte, obschon sie selbst große Neugierde trug, durchaus nicht öffnen, aber die Schwester lachte ob ihrer Bedenklichkeit und meinte, daß Ritter Blaubart darin doch nur aus Eigensinn das Kostbarste und Wertvollste von seinen Schätzen verborgen halte. Und so wurde der Schlüssel mit einigem Zagen in das Schloß gesteckt, und da flog auch gleich mit dumpfem Geräusch die Türe auf, und in dem sparsam erhellten Zimmer zeigten sich – ein entsetzlicher Anblick! – die blutigen Häupter aller früheren Frauen Ritter Blaubarts, die ebensowenig wie die jetzige dem Drang der Neugier hatten widerstehen können und die der böse Mann alle mit eigner Hand enthauptet hatte. Vom Tod geschüttelt, wichen jetzt die Frau und ihre Schwester zurück; vor Schreck war der Frau der Schlüssel entfallen, und als sie ihn aufhob, waren Blutflecken daran, die sich nicht abreiben ließen, und ebensowenig gelang es, die Türe wieder zuzumachen, denn das Schloß war verzaubert, und indem verkündeten Hörner die Ankunft Berittner vor dem Tore der Burg.

Die Frau atmete auf und glaubte, es seien ihre Brüder, die sie von der Jagd zurückerwartete, aber es war Ritter Blaubart selbst, der nichts Eiligeres zu tun hatte, als nach seiner Frau zu fragen, und als diese ihm bleich, zitternd und bestürzt entgegentrat, so fragte er nach dem Schlüssel; sie wollte den Schlüssel holen, und er folgte ihr auf dem Fuße, und als er die Flecken am Schlüssel sah, so verwandelten sich alle seine Gebärden, und er schrie: »Weib, du mußt nun von meinen Händen sterben! Alle Gewalt habe ich dir gelassen! Alles war dein! Reich und schön war dein Leben! Und so gering war deine Liebe zu mir, du schlechte Magd, daß du meine einzige geringe Bitte, meinen ernsten Befehl nicht beachtet hast? Bereite dich zum Tode! Es ist aus mir dir!«

Voll Entsetzen und Todesangst eilte die Frau zu ihrer Schwester, und bat sie, geschwind auf die Turmzinne zu steigen und nach ihren Brüdern zu spähen, und diesen, sobald sie sie erblickte, ein Notzeichen zu geben, während sie sich auf den Boden warf und zu Gott um ihr Leben flehte. Und dazwischen rief sie: »Schwester! Siehst du noch niemand!« – »Niemand!« klang die trostlose Antwort. – »Weib! komm herunter!« schrie Ritter Blaubart, »deine Frist ist aus!«

»Schwester! siehst du niemand?« schrie die Zitternde. »Eine Staubwolke – aber ach, es sind Schafe!« antwortete die Schwester. »Weib! komm herunter, oder ich hole dich!« schrie Ritter Blaubart.

»Erbarmen! Ich komme ja sogleich! Schwester! siehst du niemand?« – »Zwei Ritter kommen zu Roß daher, sie sahen mein Zeichen, sie reiten wie der Wind.« –

»Weib! Jetzt hole ich dich!« donnerte Blaubarts Stimme, und da kam er die Treppe herauf. Aber die Frau gewann Mut, warf ihre Zimmertüre ins Schloß und hielt sie fest, und dabei schrie sie samt ihrer Schwester so laut um Hilfe, wie sie beide nur konnten. Indessen eilten die Brüder wie der Blitz herbei, stürmten die Treppe hinauf und kamen eben dazu, wie Ritter Blaubart die Türe sprengte und mit gezücktem Schwert in das Zimmer drang. Ein kurzes Gefecht und Ritter Blaubart lag tot am Boden. Die Frau war erlöst, konnte aber die Folgen ihrer Neugier lange nicht verwinden.

Rupert, der Bärenhäuter

s war einmal ein Bursch von stämmigem Bau, der schaute trutziglich in die Welt und hatte Mut, mit aller Welt anzubinden, ging dieserhalb unter die Soldaten und schlug sich wacker und tapfer mit dem Feind herum, bis man Frieden machte und den Soldaten ihren Abschied gab, daß sie hingehen konnten, woher sie gekommen waren, oder wohin sie sonst wollten. Da dachte Rupert: Ich will zu meinen Brüdern gehen – denn Eltern hatte er nicht mehr – und wollte bei ihnen bleiben, bis wieder Krieg wäre. Die Brüder aber sagten: »So einer fehlte uns eben, der auf den Krieg wartet, ei warte du! Wir wollen nichts wissen von Krieg und von Kriegern, wir wollen Ruhe haben! Hast du dich im Kriege durchgeschlagen, so schlage dich auch im Frieden durch; vor der Türe ist dein, daß du es weißt!« – Da gab der Soldat Rupert seinen Brüdern kein einziges gutes Wort, nahm seinen Schießprügel und ging wieder fort in die Welt – und kam in einen großen Wald und sprach zu sich: Es ist schändlich, einen tapfern Burschen und Kriegsmann so fortzuschicken mitten in den Frieden hinein, mit dem unsereiner doch auf der Gotteswelt nichts anzufangen weiß. Ich muß Krieg haben! Wenn nur einer käme, mit dem ich anbinden könnte, und wenn's der Teufel selber wär'! Und wie Rupert das dachte, lud er sein Gewehr und tat einen starken Schuß hinein mit doppelter Ladung und auch zwei Kugeln. Da kam ein großer Mann durch den Wald auf Rupert zu, hatte einen schwarzen Schlapphut auf, mit roter Hahnenfeder darauf, eine krumme Habichtnase, einen fuchsfeuerroten Bart und einen grünen Jägerrock an, und fragte: »Wo hinaus, Gesell?«

»Was habt Ihr danach zu fragen?« fragte Rupert grob zurück, weil er gern anbinden wollte mit dem ersten besten, oder auch mit dem ersten schlimmsten.

»Hoho! Nur nicht so patzig!« rief der Grüne mit dem Schlapphut und der roten Hahnenfeder. »Fehlt dir was, so kann ich helfen!«

»Mir fehlt es bloß am besten, am Geld!« antwortete Rupert.

»Solltest Geld die Fülle haben, wenn du Mut hättest!«

»Mut? Sappernunditjö! Herr, wer sagt Ihm, daß ich keinen Mut habe? Ich ein Soldat, und keinen Mut? Mut wie der Teufel!«

»Schau um dich!« sprach der Grüne, und da schaute Rupert um, da stand ein Bär hinter ihm, schier so groß wie ein Nashorn, und sperrte den Rachen auf und brüllte, und kam auf den Hinterbeinen gehend, auf Rupert zu. Der aber nahm sein Gewehr, legte an und sagte: »Willst du eine Prise Schnupftabak? Da hast du eine Prise!« und schoß dem Bär die doppelte Ladung in seine Nase hinein, in jedes Loch eine Kugel, die bis ins Hirn drang. Und da tat der Bär einen mächtigen Satz und einen lauten Brüll, fiel um und war hin.

»Schau, schau, Mut hast du, wie ich merke!« sagte der Grüne im Schlapphut mit der roten Hahnenfeder. »Und so sollst du auch Geld von mir haben, so viel du nur willst, doch unter einer Bedingung!«

»Die möcht’ ich hören!« sprach Rupert, der längst gemerkt hatte, mit wem er’s zu tun, denn zu dem einen Stiefel hatte der Schuster, wie es schien, ein absonderliches Maß genommen, gerade als wenn er einem Pferde einen Stiefel gemacht. »Soll’s etwa die Seligkeit sein, so dank’ ich schönstens!« fuhr Rupert fort.

»Dummer Kerl!« entgegnete der Waldjäger, »was habe ich von deiner Seligkeit? Die kannst du für dich behalten, an der liegt mir gar nichts. Nein, das ist meine Bedingung, daß du in den nächsten sieben Jahren dich nicht wäschst, nicht kämmst, dir nicht den Bart scherst, die Nägel nicht schneidest, in keinem Bette schläfst und kein Vaterunser betest, was ohnehin nicht deines Kriegshandwerks Sache ist. Dafür gebe ich dir Rock und Mantel, die du aber auch einzig und allein in diesen sieben Jahren tragen mußt. Stirbst du innerhalb dieser Zeit, so bist du mein; bleibst du am Leben, so habe ich kein Teil an dir, du aber hast Geld nach wie vor und kannst damit anfangen, was du willst, und ich putze dich wieder sauber, und sollte es mit meiner Zunge sein.«

»So, und das alles nennst du eine Bedingung?« fragte Rupert. »Mich dünkt, es wären ihrer schier ein Dutzend, doch, es sei darum, ich will es probieren, probiert geht über studiert!«

»Topp!« sagte der Teufel und zog den grünen Rock aus und zog auch sehr geschwind dem toten Bären das Fell ab und fuhr fort: »Hier ist dein Rock, hier ist dein Mantel und deine Bettdecke. In die Rocktasche brauchst du nur zu greifen, so findest du Geld und die Bärenhaut, mit der deckst du dich, du Bärenhäuter du; das ist der schönste Faulpelz, den einer sich nur wünschen kann, der die Taschen voll Geld hat, und daher nicht nötig, etwas zu tun.«

Als Rupert den grünen Rock angezogen hatte, griff er vor allen Dingen in die Tasche, um zu sehen, ob es auch wahr sei mit dem Gelde, denn er traute dem Teufel nicht, dieweil dieser ein Vater der Lügen genannt wird. Da aber die Tasche sich als ein nimmerleerer Fortunatussäckel erwies, so hing Rupert seine Bärenhaut um und ging ohne Adieu vom Teufel hinweg, denn dieser war indes verschwunden.

Rupert lebte nun in den Tag hinein, ließ den lieben Gott einen guten Mann sein und den Teufel auch einen guten Mann, ließ seinen Bart stattlich wachsen, daß er ganz wahlfähig in irgendeinem deutschen oder polnischen Reichstag erschien, denn die Kraft steckt im Haar, das lehrt bereits die Geschichte Simsons, und brachte es dahin, daß er schon im zweiten Jahre aussah wie ein Schubut und Waldschratt, zumal auch seine Fingernägel außerordentlich aristokratisch vornehm noch über das chinesische Maß hinausgewachsen waren.

Die Leute wichen ihm aus, wenn sie ihn von weitem sahen oder rochen, denn obwohl er keinen Tabak rauchte, so roch er doch schon von weitem viel ärger als ein Wiedehopf, der überhaupt mit Unrecht als Stinkhahn verschrien ist, denn der Wiedehopf selbst stinkt nicht, nur seine Unreinlichkeit und das, womit er umgeht, bringen ihn in so schlimmen Ruf.

Nun gab aber der Bärenhäuter den Armen immer viel Geld, damit sie beten sollten, daß er die sieben Jahre überdaure, und die Armen nahmen gern das Geld und versprachen, recht fleißig zu beten. Ob sie's getan haben, weiß ich nicht, und die Wirte nahmen ihn auch gern auf, da er viel aufgehen ließ, und überhaupt steht baumfest, daß, wenn einer nur Geld hat und es aufgehen läßt, da darf er ungescheut der ärgste Bärenhäuter sein, er findet stets Anhang und Anklang und Anerkennung, aber Geld gehört ein für allemal dazu.

Nun ging die Bärenhäuterei schon in das vierte Jahr, und der Bärenhäuter hatte sie satt, denn er gefiel sich selbst nicht mehr, geschweige andern; im Gesicht schleppte er einen sehr belebten Urwald von Haarmoos herum, an den Fingern waren ihm Mistgabeln gewachsen, und sonderlichen Spaß hatte er auch nicht, trotz allen Geldes. In den Wirtshäusern gab man ihm stets die hintersten und höchsten Zimmer, drei, vier, fünf Treppen hoch und immer nahe bei den Retiraden.

Einst saß er nun so ganz verdrießlich in seinem Zimmerchen, sann über sein Schicksal nach und wünschte sehnlichst seine Zeit herum, wo er einen neuen Menschen an- und den Schweinigelsbart samt den Galgennägeln an den Fingern ablegen wollte, da hörte er nebenan jemand ächzen und krächzen zum Steinerbarmen. Gleich ging er hinüber, dem Nachbar beizustehen, denn der Bärenhäuter hatte von Natur ein mildes und gutes Herz. Da saß ein wehklagender und jammernder alter Mann, der dachte, als der Bärenhäuter kam, der Böse sei es und wolle ihn holen, denn der Bärenhäuter sah dem Teufel viel ähnlicher als sonst einem Geschöpf Gottes, doch ließ er sich endlich besänftigen und bewegen, seine Not zu klagen. Diese Not war nun gerade dieselbe, die des Bärenhäuters Not auch gewesen war, nämlich die bekannte Geldnot.

Der gute Alte hatte drei Töchter und viele Schulden, und sollte eben ein sehr eingezogenes Leben führen, weil er den Wirt, der ihn ausgezogen hatte, nicht bezahlen konnte. Der Bärenhäuter lachte darüber; der freilich hatte gut lachen, wie jeder, dem ein Goldborn in der Tasche quillt. Er bezahlte des alten Mannes Schulden bei Heller und Pfennig, und dieser lud ihn ein, mit ihm zu gehen und seine Töchter zu sehen, die nicht wenig schön seien, und eine davon solle ihn aus Dankbarkeit heiraten. Das war dem Bärenhäuter recht, denn er hatte viele Zeit übrig, und ward ihm die Zeit oft lang auf seiner Bärenhaut, und ging auf Eroberungen aus, wie ein tapferer Soldat immer tun soll, nur war es schade, daß er sich nicht nett und niedlich machen durfte, kein Stutz- und Spitzbärtchen schwarz gewichst, und keine frisierten Löckchen und schlanke Flanken und glatte Nägel und kein Kölnisches Wasser und keine Havannazigarre erster Sorte. Das alles durfte er nicht, sondern mußte ganz Bärenhäuter bleiben und hingehen und Sturm laufen, wie er leibte und lebte, war, stand, ging und roch.

Die beiden ältesten Töchter des geretteten Mannes entsetzten sich vor dem Ungetüm, das die Perücke mit unterschiedlichen Zöpfen übers Gesicht trug, statt auf dem Hinterkopf, das Patsch-händchen gab wie der Vogel Greif, und das seine Wäsche bereits vier Jahre trug, davon selbige ganz isabellfarbig geworden war und roch, wie ein altes leeres Essigfaß im Kellergewölbe, nichts weniger als appetitlich.

Nur die jüngste Tochter, und zugleich die schönste, hielt stand, indem sie nicht davonlief. Sie behielt im Auge, daß dieser Bären-häuter ihren Vater gerettet hatte und dadurch sie selbst mit von Schimpf und Schande; sie besaß die schöne Tugend der Dankbar-keit, die so viele nicht besitzen.

Da nun der Bärenhäuter wahrnahm, daß dieses schöne Kind nicht vor seiner häßlichen und abschreckenden Gestalt zurück-bebte, ja daß es des Vaters Wort bei ihm erfüllen wollte – so bot er ihr einen schönen Ring, doch nur zur Hälfte, als Wahrzeichen, daß er sich mit ihr verlobe, und bat sie, recht fleißig für ihn zu beten, daß er noch drei Jahre und womöglich auch etwas darüber am Leben bliebe, und nahm auf drei Jahre Abschied, um sich in dieser Zeit zu entbärenhäutern und nach deren Ablauf als ein wohlgelecktes Herrchen wieder zu kommen. Dies Kunststück kann auch nicht jeder machen; mancher geht als leidlich guter und zahmer Junge vom Elternhause fort und kommt waldteufelähnlich zurück als der größte Bärenhäuter, den es nur geben kann. Die junge Schönste und schönste Junge, die sich dem Bärenhäuter verlobt hatte, kleidete sich schwarz und hatte von ihren Schwestern ob ihres zotteligen Bräutigams gar viel auszustehen. Diese spöttelten, bald die eine, bald die andre:

»Gib acht, wenn du ihm die Hand reichst, daß er sie dir nicht abbeißt, denn er hat dich freßlieb!«

»Nimm dich in acht, mein süßes Kind, daß er dich nicht aufleckt, Bären lieben den Honig!«

»Tue ihm ja allen Willen, sonst brummt er, dein zukünftiger Zottelbär!«

»Ei, was wird das für eine lustige Hochzeit werden, wenn erst der Bärentanz losgeht!«

Doch die junge Braut schwieg zu allem still und ließ ihre älteren Schwestern spötteln und witzeln, so viel sie wollten, unterdessen setzte ihr Verlobter sein Leben fort, doch ohne des Guten und Schlimmen zu viel zu tun, lebte sich glücklich durch das letzte der sieben Jahre hindurch und suchte am letzten Tage das Plätzchen wieder auf, wo ihm vor sieben Jahren der Teufel erschienen war. Dieser erschien auch richtig wieder, doch mit einiger Verstimmung, denn er merkte, daß der Bärenhäuter der Bärenhäuterei längst überdrüssig war und mit ihm brechen wollte, wollte daher das Geschäft klug machen und die Röcke wieder umtauschen, aber der Bärenhäuter sagte: »So geschwind geht es nicht, erst leckst du mich und putzest mich rein, wie du zugesagt, damit ich wieder einem hübschen Menschen gleichsehe und nicht einem Waldschratt oder dir, du unsauberer Geist!«

Da mußte der Teufel den Bärenhäuter hübsch renovieren, ihm die Haare kämmen mit seinen Fingern und mit seiner Zunge, die wie ein Reibeisen kratzte, ihm die Haut rein ablecken, ihm auch

die Nägel schneiden und mußte ihn waschen und wieder ganz schön machen. Das kam ihm sauer an und war ein schwer Stück Arbeit, denn man hat gesehen in der Welt, was das mit einjährigen Bärenhäutern schon für eine Hauptmühe kostet, geschweige denn, wenn einer sieben Jahre in der Bärenhäuterei verharrte.

Dann bekam der Teufel von dem weiland Bärenhäuter, nunmehrigen Herrn Rupert, einen rechten Tritt zum Valet, und der letztere kleidete sich sehr schön und reiste mit Extrapost und Dampf nach dem Wohnort seiner Verlobten, wo ihn aber niemand kannte. Er gebärdete sich als ein reicher Freier und ließ verlauten, daß er eine der drei Schönen heiraten wolle, davon eine bereits seine Verlobte war. Diese eine hatte gar keine Acht auf ihn, aber ihre Schwestern, die hätten ihn gar zu gern gemocht, und putzten sich wie die Pfauen, und zankten sich, welche ihn nehmen sollte.

Rupert aber erbat von seiner Braut einen Becher Weines, trank und bat sie, ihm Bescheid zu tun; wie sie das tut, erblickte sie die Hälfte ihres Verlobungsringes in dem Becher und war ganz hin vor Erstaunen und süßer Freude. Er aber umfing sie und küßte sie; da kamen ihre Schwestern geputzt und furchtbar aufgedonnert dazu, und wurden grün und gelb im Gesicht aus Neid und Ärger über ihrer Schwester Glück und rannten davon. Eine stürzte sich voll Groll und Grimm in den Ziehbrunnen, die andre henkte sich voll Gift und Galle auf dem Boden auf, und da war auch gleich der Teufel bei der Hand, fing beider Seelen auf und sagte: »Eine Seele mußt' ich haben – und nun habe ich zwei. Wünsche Glück zur Hochzeit!« Damit fuhr er ab, und Rupert heiratete nach der Austrauer seine liebholde schönste Jüngste und ist niemals mehr wieder ein Bärenhäuter geworden.

Mann und Frau im Essigkrug

s war einmal ein Mann und eine Frau, die haben lange lange miteinander in einem Essigkruge gewohnt. Am Ende sind sie's überdrüssig geworden, und der Mann hat zu der Frau gesagt: »Du bist schuld daran, daß wir in dem sauern Essigkrug leben müssen, wären wir nur nicht da!« Die Frau hat aber gesagt: »Nein, du bist schuld daran.« Und da haben sie angefangen miteinander zu kippeln und zu zanken, und ist eins dem andern in dem Essigkrug nachgelaufen. Da ist gerade ein goldiges Vögelein an den Essigkrug gekommen, dies hat gesagt: »Was habt ihr denn nur so miteinander?«

»Ei«, hat die Frau gesagt, »wir sind's Essigkrügel überdrüssig und möchten auch einmal wohnen wie andere Leute, hernach wollen wir gern zufrieden sein.«

Da hat sie das goldene Vögelein aus dem Essigkrug herausgelassen, hat sie an ein neues Häuschen geführt, wo hinten ein zierliches Gärtchen gewesen ist, und hat zu ihnen gesagt: »Dies ist jetzt euer! Lebt jetzt einig und zufrieden untereinander, und wenn ihr mich braucht, so dürft ihr nur dreimal in die Hände klatschen und rufen:

Goldvögelein im Sonnenstrahl!
Goldvögelein im Demantsaal!
Goldvögelein überall!

so bin ich da.«

Damit flog das Goldvögelein fort, und der Mann und die Frau waren froh, daß sie nicht mehr in dem sauern Essigkrug wohnten, und freuten sich über ihr nettes Häuschen und grünes Gärtchen. Das dauerte aber nur eine Weile, denn wie sie nun ein paar

Wochen in dem Häuschen gewohnt hatten und in der Nachbar-
schaft herumgekommen waren, da hatten sie die großen stattlichen Bauernhöfe gesehen, mit großen Stallungen, Gärten, Äckern,
vielem Gesinde und Vieh. Und da hat es ihnen schon wieder nicht
mehr gefallen in ihrem winzigen Häuslein und sind's ganz überdrüssig geworden, und an einem schönen Morgen haben sie alle
zwei fast zu gleicher Zeit in die Hände geklatscht und haben
gerufen:

»Goldvögelein im Sonnenstrahl!
Goldvögelein im Demantsaal!
Goldvögelein überall!«

237

Witsch, da ist das goldige Vöglein zum Fenster hereingeflogen gekommen und hat sie gefragt, was sie denn schon wieder wollten?

»Ach«, haben sie gesagt, »das Häuslein ist doch gar zu klein, wenn wir nur auch so einen großen, prächtigen Bauernhof hätten, hernach wollten wir zufrieden sein.«

Das goldige Vöglein blinzte ein wenig mit seinen Guckäugelein, sagte aber nichts und führte den Mann und die Frau an einen großen, prächtigen Bauernhof, wo viele Äcker daran waren und Stallungen mit Vieh und Knechten und Mägden, und hat ihnen alles geschenkt.

Der Mann und die Frau sprangen deckenhoch und konnten sich vor Freuden gar nicht lassen. Und jetzt sind sie ein ganzes Jahr lang zufrieden und fröhlich gewesen und haben sich gar nichts Besseres denken können. Aber länger hat's auch nicht gedauert, keinen Tag, denn weil sie jetzt manchmal in die Stadt gefahren sind, haben sie die schönen großen Häuser und die schöngeputzten Herren und Madamen sehen spazierengehn, da haben sie gedacht: Ei, in der Stadt muß es aber herrlich sein, und da braucht man nicht viel zu tun und zu arbeiten; und die Frau hat sich gar nicht können satt sehen an dem Staat und dem Wohlleben und hat zu ihrem Mann gesagt: »Wir wollen auch in die Stadt, ruf' du dem goldigen Vöglein! Wir sind nun schon lange genug auf dem Bauernhof.« Der Mann hat aber gesagt: »Frau, ruf' du ihm!« – Endlich hat die Frau dreimal in die Hände geklatscht und hat gerufen:

> »Goldvögelein im Sonnenstrahl!
> Goldvögelein im Demantsaal!
> Goldvögelein überall!«

Da ist das goldige Vöglein wieder zum Fenster hereingeflogen und hat gesagt: »Was wollet ihr nur von mir?«

»Ach«, hat die Frau gesagt, »wir sind das Bauernleben müde, wir möchten auch gern Stadtleute sein und schöne Kleider haben und in so einem großen, prächtigen Haus wohnen, hernach wollen wir zufrieden sein.«

Das goldne Vöglein hat wieder mit seinen Guckäugelein geblinzt, hat aber nichts gesagt und hat sie in das schönste Haus in der Stadt geführt, da war alles raritätisch aufgeputzt und waren Schränke darin und Kommoden, da hingen und lagen Kleider drinnen nach der neuesten Mode. Jetzt haben der Mann und die Frau gemeint, es gibt auf der Welt nichts Besseres und Schöneres, und waren vor lauter Freude außer sich. Das hat aber leider wieder nicht lange gedauert, so hatten sie es wieder satt und sprachen zueinander: »Wenn wir's nur so hätten wie die Edelleute! Die wohnen in herrlichen Palästen und Schlössern und haben Kutschen und Pferde, und Bedienten mit goldbordierten Röcken stehen auf den Kutschen. Ja das wär' erst etwas Rechtes; so ist's doch nur eine armselige Lumperei.« Und die Frau hat gesagt: »Jetzt ist's an dir, dem goldigen Vögelein zu rufen.« Der Mann hat doch wieder lange nicht gewollt, endlich, wie die Frau gar nicht nachgelassen hat mit Dringen und Drängen, hat er dreimal in die Hände geklatscht und gerufen:

>»Goldvögelein im Sonnenstrahl!
Goldvögelein im Demantsaal!
Goldvögelein überall!«

Da ist das goldene Vöglein wieder zum Fenster hereingeflogen und hat gefragt: »Was wollt ihr nur von mir?« Da sagte der Mann: »Wir möchten gern Edelleute werden, hernach wollen wir zufrieden sein.« Da hat aber das goldene Vöglein gar arg mit den Äuglein geblinzelt und hat gesagt: »Ihr unzufriednen Leute! Werdet ihr denn nicht einmal genug haben? Ich will euch auch zu Edelleuten machen, es ist euch aber nichts nutz!« und hat ihnen gleich ein schönes Schloß geschenkt, Kutschen und Pferde und eine zahlreiche Bedienung.

Jetzt sind sie nun Edelleute gewesen und sind alle Tage spazieren gefahren und haben an nichts mehr gedacht, als wie sie die

Tage herumbringen wollten in Freuden und mit Nichtstun, außer daß sie die Zeitungen gelesen haben.

Einmal sind sie in die Hauptstadt gefahren, ein großes Fest zu sehen. Da sind der König und die Königin in ihrer ganz vergoldeten Kutsche gesessen, in goldgestickten Kleidern, und vorn und hinten und auf beiden Seiten sind Marschälle, Hofleute, Edelknaben und Soldaten geritten, und alle Leute haben die Hüte und Taschentücher geschwenkt, wo der König und die Königin vorbeigefahren sind. Ach wie hat da dem Manne und der Frau vor Ungeduld das Herz geklopft! Kaum waren sie wieder nach Hause, so sprachen sie: »Jetzt wollen wir noch König und Königin werden, hernach wollen wir aber einhalten.« Und da haben sie wieder alle zwei miteinander in die Hände geklatscht und haben gerufen, was sie nur rufen konnten:

>   »Goldvögelein im Sonnenstrahl!
>   Goldvögelein im Demantsaal!
>   Goldvögelein überall!«

Da ist das goldene Vöglein wieder zum Fenster hereingeflogen und hat gefragt: »Was wollt ihr nur von mir?« Da haben sie beide geantwortet: »Wir möchten gern König und Königin sein.« Da hat aber das Vöglein ganz schrecklich mit den Augen geblinzelt, hat alle Federchen gesträubt, hat mit den Flügeln geschlagen und hat gesagt: »Ihr wüsten Leute, wann werdet ihr denn einmal genug haben? Ich will euch auch noch zum König und zur Königin machen, aber dabei wird's doch nicht bleiben sollen, denn ihr habt nimmermehr genug!«

Jetzt sind sie nun König und Königin gewesen und haben übers ganze Land zu gebieten gehabt, haben sich einen großen Hofstaat gehalten und ihre Minister und Hofleute haben müssen auf die Knie niederfallen, wenn sie eines von ihnen ansichtig wurden. Auch haben sie nach und nach alle Beamten im ganzen Lande vor sich kommen lassen und ihnen vom Thron herab ihre strengsten

Zwergenmützchen, zu Seite 250

Befehle erteilt. Und was es nur Teures und Prächtiges in aller Herren Länder gab, das mußte herbeigeschafft werden, daß ein Glanz und ein Reichtum sie umgab, der unbeschreiblich ist. Und doch sind sie jetzt noch nicht zufrieden gewesen und sagten immer: »Wir müssen noch etwas mehr werden!«

Da sprach die Frau: »Werden wir Kaiser und Kaiserin.«

»Nein!« sagte der Mann, »wir wollen Papst werden!«

»Hoho! Das ist alles nicht genug!« schrie die Frau in ihrem Eifer. »Wir wollen lieber Herrgott sein!«

Kaum aber hatte sie dies Wort ausgeredet, so ist ein mächtiger Sturmwind gekommen, und ein großer schwarzer Vogel mit funkelnden Augen, die wie Feuerräder rollten, ist zum Fenster hereingeflogen und hat gerufen, daß alles erzitterte: »Daß ihr versauern müßt im Essigkrug!«

Pautz, und da war alle Herrlichkeit zum Kuckuck, und da saßen sie alle beide, der Mann und die Frau, wieder in ihrem engen Essigkrug drin; da sitzen sie noch und können drin bleiben bis an den jüngsten Tag.

Das ist eine Lehre für solche, die nie genug bekommen können.

Bruder Sparer und Bruder Vertuer

s war einmal ein Bauer, der hatte zwei Söhne, die ließ er Handwerke lernen, »denn«, sprach er: »Handwerk hat einen goldnen Boden.« Der eine Sohn wurde ein Schuhmacher, der andere ein Schneider, und wie ihre Lehrzeit beendigt war, gingen sie auf die Wanderschaft. Sie waren beide ein paar lustige Brüder, aber der Schuhmacher vertat all sein Geld in Rauchtabak, Schnupftabak und Schnaps, der Schneider aber rauchte nicht, schnupfte und schnapste nicht. Bisweilen riet er seinem Bruder, doch haushälterisch mit dem Gelde umzugehen, aber der Schuster lachte ihn aus und sagte: »Wozu soll ich denn sparen? Du sparst ja! Sparer muß einen Vertuer haben, sagt das Sprichwort.«

So wanderten die guten Gesellen ein ganzes Jahr lang miteinander. Der Schneider hielt sich einen besonderen Geldbeutel, da hinein legte er jedesmal, wenn sein Bruder Geld für unnütze Dinge ausgab, ebensoviel aus der gemeinschaftlichen Kasse, die niemals reich war, zu einem Notpfennig, und so tat er das ganze Jahr hindurch und hatte seine Freude daran, wie das Bäuchlein des Beutelchens immer stärker wurde.

Nun kamen sie einmal miteinander in Wortwechsel, wieder über Sparen und Vertuen; der Schneider rühmte sich des ersparten Schatzes, wo der Schuster sagte: »Es wird ein rechter Bettel sein, was du erspart hast.«

Darüber gelangten sie auf eine Brücke, die hatte schöne, breite und glatte Steine auf ihrer Einfassungsmauer, und da wollte der Schneider seinen Bruder überzeugen, daß Sparen ein gut Ding sei, denn das Sprichwort sagt: Spare in der Zeit, so hast du in der Not, und: Junges Blut, spar' dein Gut! Darben im Alter wehe tut.

Sie legten ihre Ränzel ab, und der Schneider zog sein Beutelchen und zählte die schönen Silbergroschen und Sechser, die vom

242

langen Tragen ganz rötlich geworden waren, auf einem Brückenstein; es war ein hübsches Sümmchen, und er freute sich königlich darüber. Der Schuhmacher sah es ganz gleichgültig, stopfte sich eine Pfeife und schlug eben Feuer, als plötzlich ein so heftiger Windstoß daher kam, daß das Schneiderlein gleich in den Fluß geweht worden wäre, wenn die Brücke keine Einfassung gehabt hätte, aber das Geld, das wehte der Wind alles hinunter ins Wasser.

Der Schneider stand starr vor Schrecken, der Schuhmacher aber legte den brennenden Schwamm auf die Pfeife und fragte mit dem ruhigsten Gesicht von der Welt: »Na, Bruder Sparer, wie viel hast du nun?«

Da heulte der Schneider, daß ihn der Bock stieß: »So viel wie duhuhuhuhu! So viel wie duhuhuhuhu!« –

Natterkrönlein

 n dem Stalle eines geizigen Bauern, der eine fromme, mildherzige Magd hatte, wohnte eine schöne Schlange mit einem goldenen Krönlein auf dem Haupte. Die konnte man des Nachts zuweilen gar wundersam singen hören, denn diese Krönleinnattern besitzen die Gabe, schöner zu singen als das beste Vögelein.

Wenn nun die treue Magd in den Stall kam und die Kühe molk, oder sie fütterte und ihnen streute – was sie mit großer Sorgfalt tat, denn ihres Herrn Vieh ging ihr über alles –, da kroch manchmal das Schlänglein, welches so weiß war wie ein weißes Mäuschen, aus der Mauerspalte, darin es wohnte, und sah mit klugen Augen die geschäftige Dirne an. Dieser kam es dann immer vor, als wollte die Schlange etwas von ihr haben, und barmherzig, wie sie war, goß sie regelmäßig in ein kleines Untertäßchen etwas warme Milch und stellte es dem zierlichen Tierlein hin. Die Schlangenkönigin aber trank die Milch mit großem Wohlbehagen und wendete dabei ihr Köpfchen, und da glitzerte das Krönlein wie ein Demant oder ein Karfunkelstein und leuchtete ordentlich in dem dunkeln Stalle. Die gute Dirne freute sich über die weiße Schlange gar sehr und nahm auch wahr, daß ihres Herrn Kühe, seit sie die Krönleinnatter mit Milch tränkte, sichtbar gediehen, viel mehr Milch gaben, stets gesund waren und sehr schöne Kälbchen brachten, worüber sie die größte Freude hatte.

Da traf sich's einmal, daß der Bauer in den Stall trat, als just die Natter ihr Tröpfchen Milch schleckte, das ihr die gute Dirne hingestellt hatte. Weil er aber über alle Maßen geizig und habsüchtig war, so fuhr er gleich so zornig auf, als ob die arme Magd die Milch eimerweise weggeschenkt hätte.

»Du nichtsnutze Dirn', die du bist!« schrie der böse Bauer. »So gehst du also um mit Hab und Gut deines Herrn? Schämst du dich nicht der Sünde, einen solchen giftigen Wurm, der ohnedies den Kühen zur Nacht die Milch aus den Eutern zieht, auch noch zu füttern und in den Stall zu gewöhnen? Hat man je so etwas erlebt? Schier glaub' ich, daß du eine böse Hexe bist und dein Satanswesen treibst mit dem Teufelswurm!«

Die arme Dirne wußte diesen unverdienten harten Vorwürfen nichts als reichliche Tränen entgegenzusetzen. Aber der Bauer kehrte sich nicht im mindesten daran, daß sie weinte, sondern er schrie und zankte sich immer mehr und mehr in den vollen Zorn hinein, vergaß alle Treue und allen Fleiß der Magd und fuhr fort zu wettern und zu toben.

»Aus dem Hause, sag' ich, aus dem Hause! Und auf der Stelle! Ich brauche keine Schlangen als Kostgänger! Ich brauche keine Milchdiebinnen und Hexendirnen! Gleich schnürst du dein Bündel, aber gleich und machst, daß du aus dem Dorfe fortkommst, und läßt dich nimmer wieder hier blicken, sonst zeig' ich dich an beim Amt, da wirst du eingesteckt und kriegst den Staubbesen, du Hexendirne!«

Laut weinend entwich die so hart gescholtene Magd aus dem Stalle, ging hinauf in ihre Kammer, packte ihre Kleider zusammen und schnürte ihr Bündlein. Dann trat sie aus dem Hause und ging über den Hof. Da wurde ihr weh ums Herz, denn sie hörte eben im Stalle ihre Lieblingskuh brüllen. – Der Bauer war inzwischen weitergegangen; so trat sie noch einmal in den Stall, um gleichsam im stillen und unter Tränen Abschied von ihrem lieben Vieh zu nehmen; denn frommem Hausgesinde wird das Vieh seiner Herrschaft so lieb, als wäre es sein eigen.

Und da stand nun die Dirn' im Stalle und weinte sich aus und streichelte noch einmal jede Kuh, und ihr Liebling leckte ihr noch einmal die Hand – und siehe, da kam auch die Schlange mit dem Krönlein gekrochen.

»Leb wohl, du armer Wurm, dich wird nun auch niemand mehr füttern«, sprach die Magd.

Da hob sich das Schlänglein empor, als wollte es ihr seinen Kopf in die Hand legen, und plötzlich fiel das Natterkrönlein in des Mädchens Hand, und die Schlange glitt aus dem Stalle, was sie vorher nie getan hatte. Das war ein Zeichen, daß auch sie aus dem Hause scheide, wo man ihr fürder nicht mehr ein Tröpflein Milch gönnen wollte.

Jetzt ging die arme Dirne ihres Wegs und wußte nicht, wie reich sie war. Sie kannte des Natterkrönleins große Tugend nicht. Wer es aber besitzt und bei sich trägt, dem schlägt alles zum Glücke aus, der ist allen Menschen angenehm, dem wird eitel Ehre und Freude zuteil.

Draußen vor dem Dorfe begegnete der scheidenden und so schwer betrübten jungen Magd der reiche Schulzensohn, dessen Vater vor kurzem gestorben war, der schönste junge Bursche des Dorfes. Der gewann gleich die Dirne lieb, und er grüßte sie und fragte sie, wohin sie gehe und warum sie aus dem Dienste scheide. Da sie ihm nun ihr Leid klagte, hieß er sie zu seiner Mutter gehen, und sie solle dieser nur sagen, er sende sie.

Wie aber die Dirne zu der alten Frau Schulzin kam und ausrichtete, was der Schulzensohn ihr aufgetragen, da faßte die Frau gleich zu ihr ein großes Vertrauen und behielt sie im Hause. Als

am Abend die Knechte und die Mägde des reichen Bauern zum
Essen kamen, da mußte die Neuaufgenommene das Tischgebet
sprechen, und es deuchte allen, als flössen des Gebetes Worte von
den Lippen eines heiligen Engels, und wurden alle von einer
wundersamen Andacht bewegt und gewannen zu der Dirne eine
große Liebe. Und als abgegessen war und die fromme Dirne
wieder das Gebet und den Abendsegen gesprochen und das
Gesinde die Stube verlassen hatte, da faßte der reiche Schulzensohn die Hand der ganz armen Dirne und trat mit ihr vor seine
Mutter und sagte: »Frau Mutter, segnet mich und diese – denn die
will ich zur Frau nehmen oder keine. Sie hat mir's einmal
angetan!«

»Sie hat's uns allen angetan«, antwortete die alte Frau Schulzin.
»Sie ist so fromm, als sie schön ist, und so demütig, als sie
makellos ist. Im Namen Gottes segne ich dich und sie und nehme
sie von Herzen gern zur Tochter.« So wurde die arme Magd zur
reichsten Frau des Dorfes und zu einer ganz glücklichen noch
dazu, denn wegen ihrer Mildtätigkeit wurde sie von jedermann
geliebt und geehrt.

Mit jenem geizigen, hartherzigen Bauern aber, der um die paar
Tröpflein Milch sich so erzürnt und die treueste Magd aus dem
Hause getrieben hatte, ging es gar bald den Krebsgang. Mit der
Krönleinnatter war all sein Glück hinweg; bald mußte er sein Vieh
verkaufen, dann seine Äcker und zuletzt noch Haus und Hof.
Alles kaufte aber der reiche Schulzensohn, und seine Frau führte
die lieben Kühe, die nun ihre eigenen waren, mit grünen Kränzen
geschmückt in ihren Stall und streichelte sie und ließ sich wieder
die Hände von ihnen lecken und molk und fütterte sie mit eigener
Hand.

Als sie wieder einmal so im Stalle beschäftigt war, erschien
plötzlich die weiße Schlange, der sie ihr Glück verdankte. Hocher-
freut zog die junge Frau schnell das Krönlein hervor und sagte:
»Das ist schön von dir, daß du zu mir kommst. Nun sollst du auch
alle Tage frische Milch haben, so viel du willst, und da hast du

247

auch dein Krönlein wieder, mit tausend Dank, daß du mir damit so wohl geholfen hast. Ich brauch' es nun nicht mehr, denn ich bin reich und glücklich durch Liebe, durch Treue und durch Fleiß.«

Da nahm die weiße Schlange ihr Krönlein wieder und wohnte in dem Stalle der jungen Frau, und auf deren ganzem Gute blieben Friede, Glück und Gottes Segen ruhen.

Zwergenmützchen

s war einmal ein Müller, der hatte drei Söhne und eine Tochter. Die Tochter liebte er sehr, aber mit den Söhnen war er stets unzufrieden; sie konnten ihm nie etwas recht machen. Darüber waren die Brüder sehr bekümmert und wünschten sich weit weg von ihrem Vaterhause und saßen oft beisammen, klagend und seufzend, und wußten nicht, was sie anfangen sollten.

Eines Tages, als die drei Brüder wieder so betrübt beisammen saßen, seufzte der eine von ihnen: »Ach, hätten wir nur ein Zwergenmützchen, dann wäre uns allen geholfen.«

»Was ist's damit?« fragte der eine von den beiden andern Brüdern.

»Die Zwerge, die in den grünen Bergen wohnen«, erklärte der erste, »haben Mützchen, die man auch Nebelkäpplein nennt; mit denen kann man sich unsichtbar machen, wenn man sie aufsetzt. Das ist gar eine schöne Sache, liebe Brüder. Da kann man den Leuten aus dem Wege gehen, die nichts von einem wissen wollen und von denen man nie ein gutes Wort empfängt. Man kann hingehen, wohin man will, nehmen, was man will; niemand sieht einen, solange man mit dem Mützchen bedeckt ist.«

»Aber wie gewinnt man solch ein rares Mützchen?« fragte er.

»Die Zwerge«, antwortete der Älteste, »sind ein kleines, drolliges Völklein, das gern spielt. Da macht es ihnen große Freude, bisweilen ihre Mützchen in die Höhe zu werfen. Wupps! sind sie sichtbar, wupps! fangen sie das Mützchen wieder, setzen es auf und sind wieder unsichtbar. Nun braucht man nichts zu tun, als aufzupassen, wenn ein Zwerg sein Mützchen in die Höhe wirft, und muß dann rasch den Zwerg packen und das Mützchen geschwind selbst fangen. Da muß der Zwerg sichtbar bleiben, und man wird Herr der ganzen Zwergensippschaft. Nun kann man

249

entweder das Mützchen behalten und sich damit unsichtbar machen, oder von den Zwergen so viel dafür fordern, daß man für sein Leben lang genug hat; denn die Zwerge haben Macht über alles Metall in der Erde und kennen alle Wunderkräfte der Natur.«

»Ei, das wäre!« rief einer der Brüder. »So gehe doch hin und verschaffe dir und uns solche Mützchen, oder mindestens dir eins und hilf dann auch uns, daß wir von hier fortkommen.«

»Ich will es tun«, sagte der älteste der Brüder, und bald war er auf dem Wege nach den grünen Bergen. Es war ein etwas weiter Weg, und erst gegen Abend kam der gute Junge bei den Zwergenbergen an. Dort legte er sich in das grüne Gras an eine Stelle, wo im Grase die Ringelspuren von den Tänzen der Zwerge im Mondenscheine sich zeigten, und nach einer Weile sah er schon einige Zwerge ganz nahe bei sich übereinanderpurzeln, Mützchen werfen und spaßige Kurzweil treiben.

Bald fiel ein solches Mützchen neben ihm nieder, schon haschte er danach. Aber der Zwerg, dem das Mützchen gehörte, war ungleich behender als er, erhaschte sein Mützchen selbst und schrie: »Diebio! Diebio!« Auf diesen Ruf warf sich das ganze Heer der Zwerge auf den armen Knaben, und es war, als wenn ein Haufen Ameisen um einen Käfer krabbelt. Er konnte sich der Menge nicht erwehren und mußte es geschehen lassen, daß die Zwerge ihn gefangennahmen und mit ihm tief hinab in ihre unterirdischen Wohnungen fuhren.

Wie nun der älteste Bruder nicht wiederkam, so bekümmerte und betrübte das die beiden jüngeren Brüder gar sehr. Auch der Tochter war es leid, denn sie war sanft und gut, und es schmerzte sie oft, daß der Vater gegen ihre Brüder so hart und unfreundlich war und nur sie allein bevorzugte. Der alte Müller aber murrte: »Mag der Schlingel von einem Jungen beim Kuckuck sein, was kümmert's mich? 's ist nur ein unnützer Kostgänger weniger im Hause. Wird schon wiederkommen – ist ans Brot gewöhnt – Unkraut verdirbt nicht.«

Aber Tag um Tag verging, und der Knabe kam nicht wieder, und der Vater wurde gegen die beiden Zurückgebliebenen immer mürrischer und härter. Da klagten die zwei Brüder oft gemeinsam, und der mittlere sprach: »Weißt du was, Bruder? Ich werde mich jetzt selbst aufmachen und nach den grünen Bergen gehen, vielleicht erlange ich ein Zwergenmützchen. Ich denke mir die Sache gar nicht anders, als so: Unser Bruder hat solch ein Mützchen erlangt und ist damit in die weite Welt gegangen, erst sein Glück zu machen, und darüber hat er uns vergessen. Ich komme gewiß wieder, wenn ich Glück habe. Komme ich aber nicht zurück, so bin ich nicht glücklich gewesen, und für diesen Fall lebe wohl auf immer!«

Traurig trennten sich die Brüder, und der mittlere wanderte fort nach den grünen Bergen. Dort erging es ihm in allen Stücken so, wie es seinem Bruder ergangen war. Er sah die Zwerge, haschte nach einem Mützchen, aber der Zwerg war flinker als er, schrie: »Diebio! Diebio!« Und der ganze Haufen der Unterirdischen stürzte sich auf und über den Knaben, umstrickte ihn, daß er kein Glied regen konnte, und führte ihn tief hinab in die unterirdische Wohnung.

Mit der sehnsüchtigsten Ungeduld harrte der jüngste Bruder daheim in der Mühle auf des Bruders Wiederkehr, aber vergebens. Da wurde er sehr traurig, denn er wußte ja nun, daß der zweite Bruder nicht glücklich gewesen war, und die Schwester wurde auch traurig. Der Vater aber blieb gleichgültig und sagte nur:

»Weg ist weg – wem es daheim nicht gefällt, der wandere – die Welt ist groß und weit – in meinem Hause hat der Zimmermann ein Loch gelassen. Wenn dem Esel zu wohl ist, geht er aufs Eis, tanzt und bricht ein Bein – laßt den Guck-in-die-Welt nur laufen – was grämt ihr euch um den Schlucker? Ich bin froh, daß er mir aus den Augen ist.«

Der jüngste Bruder hatte bisher im gemeinsamen Ertragen des Leides Trost gefunden; als aber nun seine beiden älteren Brüder fort waren, fand er seine Lage ganz unerträglich und sagte zu seiner Schwester: »Liebe Schwester, ich gehe nun auch fort, und schwerlich werde ich wiederkommen, wenn es mir ergeht wie unsern Brüdern. Der Vater liebt mich einmal nicht, und ich kann nichts dafür. Die Scheltworte, die früher auf uns drei niederfielen, fallen jetzt auf mich allein, das ist mir denn doch eine zu schwere Last. Lebe wohl, und laß es dir wohlergehen!«

Die Schwester wollte ihren jüngsten Bruder erst nicht fortlassen, denn sie hatte ihn am allermeisten lieb, allein er ging dennoch und zwar heimlich von dannen.

Unterwegs überlegte er sich recht genau, wie er es anfangen wollte, sich ein Zwergenmützchen zu verschaffen. Als er auf die grünen Berge kam, erkannte er bald an den grünen Ringeln im Grase den Ort der nächtlichen Zwergentänze und ihren Spiel- und Tummelplatz; er legte sich in der Dämmerung hin und wartete ab, bis die Zwerglein kamen, spielten, tanzten und Mützchen warfen.

Eines derselben kam ihm ganz nahe und warf sein Mützchen, aber der kluge Knabe griff gar nicht danach. Er dachte: Ich habe ja Zeit. Ich muß die Männlein erst recht sicher und kirre machen. Der Zwerg sah, daß nichts zu machen war, nahm sein Mützchen, das ganz nahe beim Knaben niedergefallen war, und ging weg. Es dauerte gar nicht lange, so fiel ein zweites Mützchen neben den Jüngsten. Ei, dachte der Knabe, da regnet's Mützchen, griff aber nicht danach, bis endlich ein drittes ihm gar auf die Hand fiel. Wuppdich, hielt er's fest, und sprang rasch empor. »Diebio! Diebio! Diebio!« schrie laut der Zwerg, dem das Mützchen gehörte, mit feiner, gellender Stimme, die durch Mark und Bein drang. Und da wimmelte das Zwergenvolk herbei. Aber der Knabe wurde unsichtbar, weil er das Mützchen hatte, und sie konnten ihm gar nichts anhaben. Allesamt erhoben sie ein klägliches Jammern und ein Gewinsel um das Mützchen und baten den unsichtbaren Dieb, er solle es doch um alles in der Welt wieder hergeben.

»Um alles in der Welt?« fragte der kluge Knabe die Zwerge. »Das wär' mir schon recht! Aus dem Handel könnte etwas werden. Will aber erst sehen und hören, worin euer ›Alles‹ besteht. Vorerst frage ich: Wo sind meine beiden Brüder?«

»Die sind drunten im Schoß des grünen Berges!« antwortete der Zwerg, dem das Mützchen gehört hatte.

»Und was tun sie?«
»Sie dienen!«

»So! Sie dienen – und ihr dient nun mir. Auf! Hinab zu meinen Brüdern! Ihr Dienst ist aus und eurer fängt an!«

Da mußten die Unterirdischen dem irdischen Menschen gehorsam sein, weil er durch das Mützchen Macht über sie erlangt hatte.

Die bestürzten und bekümmerten Zwerglein führten nun ihren Gebieter an eine Stelle, wo sich eine Öffnung in dem grünen Berg befand; sie tat sich klingend auf, und er ging rasch hinein und hinunter. Drunten waren herrliche und unermeßlich weite Räume, große Hallen und kleine Zimmer und Kämmerchen, je nach des Zwergenvolkes Bedarf. Aber der Knabe verlangte sogleich, ehe er sich nach etwas anderem umsah, nach seinen Brüdern. Die wurden herbeigebracht. Sie waren in Dienertracht gekleidet und riefen ihm, sobald sie ihn erblickten, wehmütig zu: »Ach, kommst auch du, lieber, guter Bruder, unser Jüngster! So sind wir drei nun doch wieder beisammen, aber in der Gewalt dieser Unterirdischen, und sehen nimmermehr wieder das himmlische Licht, den grünen Wald und die goldenen Felder!«

»Liebe Brüder«, erwiderte der Jüngste, »harret nur, ich vermeine, das Blättlein soll sich wohl wenden.«

»Herrenkleider und Prunkgewänder für meine Brüder und euch allesamt, wie ihr da seid, eure Mützchen. Dann seht, was aus euch wird, wenn euch jeder erblicken kann. Totgeschlagen werdet ihr, wo sich nur einer von euch sehen läßt. Noch mehr! Ich fahre hinauf auf die Oberwelt und sammle Kröten, die geb' ich euch dann, jedem eine, vor dem Schlafengehen mit ins Bett, und ihr werdet bald anderen Sinnes sein.«

Wie der Gebieter das Wort Kröten aussprach, stürzten alle Zwerge wie verzweifelt auf ihre Knie und riefen: »Gnade! Gnade!

Nur das nicht! Um alles in der Welt! Nur das nicht!« – denn die Kröten sind ja der Zwerge Abscheu und Tod. Seufzend willigten sie in sein Begehr und gingen alsobald ans Werk, um alle Gebote ihres strengen Gebieters zu vollziehen. Aber in der Mühle des alten grämlichen Müllers droben war jetzt nicht mehr gut sein. Denn als der jüngste Bruder auch davongegangen war, murrte der Müller: »Nun – der ist auch fort – bleibt auch aus wie das Röhrenwasser – so geht es – das hat man davon, wenn man Kinder großzieht – sie wenden einem den Rücken zu. Nun ist nur noch das Mädchen da, mein Augapfel, mein Liebling.« Der Liebling aber saß da und begann zu weinen.

»Weinst du schon wieder!« murrte der Alte, »denkst, ich soll meinen, du weinst um deine Brüder? Um den armen Schlucker weinst du, der dich freien will. Er hat nichts, du hast nichts, ich habe nichts, haben wir alle dreie nichts. Hörst du was klappern? Ich höre nichts. Die Mühle steht – ich kann nicht mahlen – du kannst nicht heiraten, oder wir halten des Bettelmanns Hochzeit. Wie?« – Solcherlei Reden hatte die Tochter täglich anzuhören.

Da kamen eines schönen Morgens drei Wagen angefahren und hielten vor der Mühle; kleine Kutscher fuhren, kleine Lakaien sprangen vom Tritt und öffneten den Schlag des ersten Wagens; drei junge hübsche Herrchen stiegen aus, fein gekleidet, wie Prinzen.

Viel Dienerschaft wimmelte um die übrigen Wagen, lud Kisten, Kasten und schwere Truhen ab und trugen alles in die Mühle. Stumm und staunend standen der Müller und seine Tochter da.

»Guten Morgen, Vater! Guten Morgen, Schwester! Da wären wir wieder!« riefen die drei Brüder. Die beiden aber starrten sie verwundert an.

»Trink uns den Willkommen zu, lieber Vater!« rief der Älteste und nahm aus eines Dieners Hand eine Flasche und schenkte einen überaus künstlich gearbeiteten Goldpokal voll edlen Trankes und hieß den Vater trinken. Dieser trank und gab den Pokal weiter, und alle tranken, auch der Bräutigam der Tochter.

Dem Alten strömte Wärme in das kalte Herz, und die Wärme wurde zum Feuer, zum Feuer der Liebe. Er weinte und fiel seinen Söhnen in die Arme und küßte sie und segnete sie.

Darüber fingen vor Freude die Mühlräder, die so lange stillgestanden hatten, an, sich rasch zu drehen, klipp di klapp, um und um, klipp di klapp, um und um.

Ludwig Bechstein:
Märchen / Ludwig Bechstein.
Mit Ill. von Karl Mühlmeister.–
Stuttgart; Wien; Bern: Thienemann, 1992
ISBN 3 522 16825 9

Umschlaggestaltung: Reichert Buchgestaltung
unter Verwendung einer Illustration von Karl Mühlmeister
Schrift: Garamond
Satz: Steffen Hahn FotoSatzEtc., Kornwestheim
Reproduktionen: Ruck Repro, Stuttgart, und Die Repro, Tamm
Druck und Bindung: Friedrich Pustet, Regensburg
© 1992 by K. Thienemanns Verlag in Stuttgart – Wien – Bern
Printed in Germany. Alle Rechte vorbehalten.
6 5 4 3 2* 98 99 00 01